L'arbre
de mer

Rosamond Lehmann

L'arbre
de mer

FEUX
CROISES
PLON

Titre original :

A SEA-GRAPE TREE

Traduit de l'anglais
par
Marie-Alyx REVELLAT

© Rosamond Lehmann, 1976,
et Librairie Plon, 1978, pour la présente édition.

ISBN 2-259-00320-6

(Edition originale : ISBN 0 00 222447 X Collins - Londres)

Pour Hugo et Mollie
avec affection

Chaque soir avant le coucher du soleil, Princesse, la jeune servante, commence à allumer les lampes de l'hôtel : lampes à huile, longs tubes de verre enfermés dans des supports de cuivre garnis de poignées. Elle en prend une dans chaque main et les balance au rythme de sa démarche nonchalante en descendant le sentier en pente abrupte qui mène au bungalow du capitaine Cunningham. Enveloppée par la lumière douce du crépuscule, elle devient une image brillante, une madone noire entourée d'une aura dorée, acheminée jusqu'à la mer par des porteurs invisibles derrière un rideau d'hibiscus qui montent au niveau de la taille. Ses yeux noirs accrochent une lueur tandis que phalènes et lucioles attirés par les lampes, tournoient autour d'elle. Parfois elle pose un objet sur sa jolie tête casquée d'astrakan : une cruche ou une jarre ou un rouleau de papier de toilette ou encore le paquet de linge propre des Cunningham. Elle se meut dans l'air chargé d'électricité, dans le monde bourdonnant, bruissant, susurrant du crépuscule des Tropiques. Elle emporte ces jolies lampes aux Cunningham pour éclairer leur véranda et leur table de bridge. Cette véranda à l'abri des moustiques avec ses piliers de bois habillés de guirlandes de bougainvillées est le foyer social de la baie. En hiver, toutes les trois semaines environ, un groupe de visiteurs arrive dans la

9

modeste pension de famille victorienne et un autre la quitte : des voyageurs britanniques pour la plupart — couples d'âge mûr des Midlands, parfois des jeunes mariés en voyage de noces. Mais de temps à autre apparaît une personne seule : peut-être un colonel retraité ou un commandant de la Marine (célibataire ? — veuf ?), vif, alerte, avec des idées innocentes et des manières courtoises ; ou bien une femme avec un attirail de peintre, ou de botaniste, ou convalescente et indépendante ; ou encore quelques alcooliques farouches, instables, frémissants, patiemment soignés ou tolérés, enclins à s'attarder. Parfois aussi un individu porteur d'un passeport du Royaume-Uni, pas ouvertement dévoyé, fauché, discrédité ou mal famé, qui s'obstine à laisser entendre d'un air détaché « j'ai démissionné » — mais qui le comprend ? qui sait quand ou pourquoi ? qui s'en soucie ? Il propage les miasmes de l'échec et de l'humiliation, créant ainsi un malaise social — du moins il le créerait partout ailleurs que dans cette région du globe.

Prospères ou non, tous ces marginaux — selon l'expression de la directrice, Miss Stay — sont guidés sous son aile protectrice vers le bungalow des Cunningham pour venir augmenter le nombre de ceux qui ont signé le livre d'or, ajoutant souvent quelques mots de reconnaissance ou même des vers appropriés aux circonstances.

L'île, l'une des plus petites de l'archipel Sous-le-Vent, n'est pas un lieu de villégiature à la mode. Cette année, en 1933, elle commence à peine à émerger de son état paradisiaque ; oiseaux, papillons, fleurs, buissons, arbres en floraison et plantes grimpantes abondent dans une splendeur, une profusion et une diversité infinies. Pas de serpents. Ile idyllique. Seuls les indigènes détonnent dans cet environnement.

Physiquement, Princesse est une exception — un

spécimen parfait, comparable à une rose qui fleurit soudain dans un terrain vague ; et certains des jeunes enfants ont une grâce tendre et animale mais, généralement, mal nourris, ils paraissent dégénérés, amorphes en grandissant ! Les vieux assis, le corps tassé sur le seuil de leur misérable cabane, fument des pipes en argile dans une sorte de léthargie primitive. Les hommes et femmes les plus valides travaillent dans la plantation du jeune Mr de Pas sur la colline. Au coucher du soleil, ils descendent d'un pas rapide avec leurs paniers et leur serpe. Ils ne sourient pas lorsqu'ils passent devant un visiteur blanc, ils le fixent du regard et marmonnent entre leurs dents. Cependant, Mrs Cunningham raconte qu'un jour une jeune Anglaise qui se promenait seule (l'imprudente) pour cueillir des plants d'orchidées avait fait une expérience désagréable. Elle portait un pyjama de plage avec des raies rose bonbon — vêtement inconnu dans cette partie du monde. En la voyant, les indigènes s'étaient immobilisés puis ils avaient hurlé des réflexions équivoques en se tordant de rire. Ensuite, les femmes s'étaient précipitées pour la toucher et la tapoter, mi-moqueuses mi-admiratives. « Belle ! oh la Belle ! », s'exclamaient-elles. L'une lui avait arraché son collier, une autre son bracelet. La malheureuse était terrifiée. Elles semblaient admiratives, à deux doigts de l'attaquer, prêtes à la dépouiller de ses vêtements. Les hommes se tenaient à l'écart et assistaient à la scène avec des visages sans expression.

La Ford antédiluvienne du jeune Mr de Pas déboucha alors au virage avec un bruit de vieille ferraille et fonça dans le tas. Le conducteur klaxonna et ralentit avec un grincement de pneus à vous faire tourner le sang. Tous se dispersèrent et dévalèrent la pente en silence. On aurait pensé qu'il l'aurait invitée à monter dans sa voiture mais il passa sans qu'un muscle de son visage ait tressailli. Pas très chevaleresque le monsieur, mais il fallait s'habituer à ses façons bizarres. Etrange garçon, très seul. Il avait des excuses. Qui que vous soyez, même si elle vous connaît à peine, Mrs Cunningham vous presse de rester un peu plus longtemps. Il est agréable de se détendre dans un fauteuil à bascule sur la véranda en contemplant l'horizon qui s'embrase au coucher du soleil dans une orgie de couleurs : toute la gamme des rouges, du pourpre au rose pâle, et tout l'éventail des verts, de l'émeraude au turquoise, tandis qu'une brise monte du large comme une caresse avec la dernière lueur du jour. Et là-bas, au-delà des hauts bastions encadrés de palmiers qui enveloppent la baie, vous pouvez admirer le récif et observer le fantôme bondissant qui gesticule sans cesse tandis que la vague vient indéfiniment se briser contre lui. Les indigènes superstitieux ont peur de ce spectre qui fait des signaux. Le capitaine Cunningham, un excellent bricoleur, a coupé les bambous, les lauriers roses et les fougères qui poussaient devant sa maison pour percer une vaste fenêtre. Ainsi, en braquant ses jumelles sur la plage, il peut repérer tout ce qui paraît suspect — par exemple le manège d'un individu qui tenterait de s'approprier le bien d'autrui, de subtiliser le canot à moteur du jeune Mr de Pas ancré dans la baie. Le capitaine lui-même l'emprunte (avec l'autorisation de son propriétaire) quand la fantaisie lui prend d'aller pêcher ou de rendre visite à un camarade qui habite de l'autre côté du cap. Cependant, la plupart du temps, il reste assis sur la véranda et fait bonne garde.

— Mais est-ce possible ? demanda la visiteuse anonyme et effacée, assise entre le capitaine et Mrs Cunningham, pressée, bien que discrètement, d'établir son identité et tendue par l'effort de la dissimuler à tout prix.

— Qu'est-ce qui est possible ? s'enquit le capitaine d'un ton volontairement bourru.

— Eh bien, de voler... de subtiliser comme vous dites...

Il posa sur elle un regard féroce bien que son expression fût probablement due à l'effet que produisaient ses yeux bleus saillants et injectés de sang.

— Chère Madame, cette île n'est pas le Paradis avant la chute, vous savez. Ils ont tous le vol dans le sang par ici. Ils n'ont aucun sens de l'honnêteté. Inutile d'essayer de leur apprendre.

— Prenez bien soin d'enfermer à clé tous vos objets précieux ma chère, dit Mrs Cunningham. Je suis sûre que vous avez beaucoup de jolies choses et des produits de beauté, parfum, crème, rouge à lèvres ou même du vernis à ongles — les servantes font main basse sur ce genre d'articles.

— Princesse m'a demandé ma poudre de talc ce matin.

— Oh, c'est une vilaine fille, vraiment. Nous nous sommes tous efforcés de lui inculquer des notions de bonne conduite. J'espère que vous avez refusé.

— Eh bien, non... Je la lui ai donnée. Elle m'a dit que c'était pour poudrer son bébé.

— Quelle mauvaise fille ! Elle vient juste d'avoir vingt ans et elle a déjà *trois* bébés. Je ne sais qui s'en occupe — sa pauvre vieille grand-mère je suppose.

— Elle m'a dit qu'elle n'envisageait pas le mariage ; elle a peur que son mari ne la batte.

— C'est bien ce qu'il lui faudrait, à cette coquine effrontée, s'écria le capitaine d'un air excité.

— Ils ne sont pas très partisans du mariage dans cette région, ajouta vivement sa femme. Sauf de temps en temps quand ils font la quête pour une fête. Alors tout un groupe de gens de tous les âges s'en vont deux par deux et les festivités se poursuivent pendant des jours et des jours. Au fait, ma chère, si vous avez un appareil photographique, faites attention. Ils ne vous laisseront jamais tranquille.

— J'aimerais photographier Princesse. C'est une véritable beauté.

— Une beauté ? Ah ! Eh bien les goûts diffèrent. Je ne peux vraiment pas dire qu'elle me plaît.

Le capitaine lui lança un regard de méfiance sévère. Espérant l'amadouer, la visiteuse se hâta d'expliquer :

— A propos de vol, je voulais dire... que je croyais qu'ils — les indigènes — évitaient la plage, en tout cas après la tombée de la nuit. Le domestique, celui que l'on appelle Deshabille, avait l'air épouvanté hier lorsque Miss Stay lui a demandé d'aller porter un message à... à la personne qui habite la cabane sur le rivage. Il n'a pas voulu. Miss Stay a dû y aller elle-même.

— Et Deshabille est un garçon très obligeant en général, commenta Mrs Cunningham. Oh, ils sont convaincus que la plage est hantée et Staycie le soutient.

Elle se tourna pour obtenir une confirmation de Miss Stay calée dans un fauteuil à bascule derrière elle, mais la directrice, les bras serrés contre sa poitrine décharnée, le bonnet de travers, était plongée dans un profond sommeil.

— Oh oh, les fantômes, ha ha ha !

L'hilarité du capitaine se traduisait par une série d'aboiements rauques. Il leva ses jumelles et balaya du regard la circonférence de la baie.

— Mon époux bien-aimé ne croit pas aux fantômes, chuchota Mrs Cunningham. Il n'y croirait pas même s'il en voyait un. Moi j'y crois — oh que oui. Certaines personnes sont nées médiums. Ma mère avait le don. Et ma grand-mère écossaise aussi. La clairvoyance était chez elles une seconde nature. Naturellement, Staycie a le don. Elle est née septième, voyez-vous. Et vous, êtes-vous médium Miss... ?

— Vous voulez jeter un coup d'œil ?

Pour mettre fin à ces bavardages oiseux, le capitaine tendit ses jumelles à la visiteuse et il l'observa attentivement pendant qu'elle manipulait l'instrument. Elle réussit enfin à faire la mise au point sur la plage et capta une double image : une cabane et un cep maritime.

S'animant dans la puissante lentille, l'arbre se dressa ; son tronc lisse et sinueux se tordit. Ses branches portaient une voûte de feuilles charnues d'un bleu glauque et des grappes de baies vertes stériles et dures comme de la pierre. Sous l'arbre se trouvait la cabane ; une construction sur pilotis avec un toit pointu en galets roses et des murs couverts de stuc d'une teinte rose jaune. Il était garni de coquillages incrustés, argentés, couleur de miel, laiteux, veinés de rose et de violet, coquillages de toutes formes et de toutes dimensions aux dessins en volutes. Une vieille barque enduite de goudron était calée tout près de la porte d'entrée avec ses rames appuyées contre l'arbre. Dans le doux crépuscule, entre le coucher du soleil et le lever de la pleine lune, chaque détail ressortait nettement. Les images baignaient dans une lumière rose dorée qui accentuait leurs contours. Soudain, tout s'effaça. Un long sifflement bas, un hululement de hibou deux fois répété s'élevèrent de la cabane. Qui l'habitait ?

— C'est sûrement Johnny, s'exclama Mrs Cunningham avec un accent de triomphe. Je l'attends toujours. Alors je sais que tout est en ordre par ici. A présent, Louis va venir et il l'emmènera en barque pour son bain du soir. Il y a quelque chose de rassurant dans la routine, vous ne trouvez pas, Mrs... ? surtout quand on doit rester allongé du matin au soir comme Johnny.

— Rien ne l'y oblige, grommela le capitaine. Il a un superbe bungalow. Vous pouvez le voir en face, à mi-chemin du sommet de la colline. Tout le confort. Il reste en bas parce qu'il le veut bien. C'est regrettable pour sa femme.

— Oh, il est marié... ?

— Oui, dit Mrs Cunningham avec réticence. Bah, après tout, vous pouvez comprendre, n'est-ce pas ? La natation le maintient en forme et la cabane est tellement plus commode. Louis est notre batelier. Il est fort comme un bœuf. Il porte Johnny comme il porterait un bébé.

— Il ne peut pas marcher du tout ?

— Il a les membres inférieurs paralysés. La guerre ! Oh, Jackie supporte très bien de rester seule, je suppose. Elle fait ce qu'il lui plaît et Johnny devient de plus en plus sauvage. Matin et soir, Louis l'emmène en barque et l'aide à rouler dans l'eau ; alors il nage, il nage. Vous imaginez-vous ce que cela peut représenter pour lui ? La liberté — fendre l'eau comme un phoque ? Je crois qu'il pourrait parcourir des kilomètres à la nage avec ses épaules puissantes et ses bras vigoureux. Mais Louis se tient toujours à portée de sa voix, simplement en cas de défaillance. Il donnerait sa vie pour Johnny. Pauvre vieux Louis, il prend de l'âge. Certains disent qu'il a cent ans mais naturellement, c'est impossible. Je me demande parfois...

Elle laissa sa phrase en suspens et prit un air affligé.

— Ha, ha, s'exclama le capitaine en buvant une autre gorgée. Nous vieillissons tous si tu veux le savoir. Mais on ne sait jamais. Garde-toi en forme ma chère. Maintiens ces biceps. Haltères tous les matins.

— Ne sois pas stupide, Harold. C'est une tragédie, une véritable tragédie, Mrs... Il a dû être si beau, magnifique ! — et même maintenant... il me rappelle Gary Cooper... Vous jugerez par vous-même. C'était l'un de nos as de l'aviation — un vrai casse-cou. Il s'est écrasé au cours d'un vol d'essai derrière nos lignes en France et il s'est brisé la colonne vertébrale — le dernier mois de la guerre ou à peu près.

— La malchance, admit le capitaine d'un air maussade.

16

Bien que moins prestigieux, il était probablement un héros de la guerre lui aussi avec sa jambe raide et sa respiration sifflante.

— Jackie était son infirmière à l'hôpital et elle a fini par l'épouser. J'ai failli dire qu'elle l'avait pris dans ses filets bien que, pour certains, il ne représentât pas une fameuse prise. Pourtant, pour elle, ce mariage était une promotion sociale. Elle appartenait à un milieu totalement différent. Il est issu de la noblesse de campagne, originaire du Nord je crois. Nous avons toujours pensé qu'ils n'avaient pas fait un mariage d'amour. Je *savais* que c'était impossible. Un homme comme lui, si fier, n'aurait jamais supporté de se sentir un fardeau pour une femme qu'il aurait réellement aimée. Je suppose que c'était la meilleure solution.

— Elle a tout de même fait preuve d'un sacré courage, marmonna le capitaine. Rends-lui au moins cette justice.

Il prit sa canne et en frappa violemment le sol à plusieurs reprises ; en même temps il invectiva un terrier bâtard à l'air préoccupé qui se grattait sur une marche du perron de la véranda.

— Bob ! restez tranquille, Monsieur ! Vous avez des puces ou quoi ?

Le chien le regarda d'un air offensé, décrivit un demi-cercle et poursuivit ses investigations, le dos tourné à son maître.

— Tu vois, tu l'as blessé. Pauvre Bobby. Il ne peut s'empêcher de se gratter. Tout son corps le démange. Il serait temps que tu lui donnes un bain. Bobby est un chien un peu morbide, Mrs... il boude sans arrêt mais il s'anime si vous lui lancez des bâtons pour qu'il aille les chercher. Ne commencez pas, surtout. Il ne vous laissera pas une seconde de répit.

La visiteuse fut surprise de s'entendre éclater de rire.

— Nous devenons tous morbides ici, continua son hôtesse avec un soupir. C'est le climat. Il est très déprimant.

— Il y a longtemps que vous habitez ici ?

— Depuis 1922. Nous étions les premiers Blancs à venir dans la région — dans un sens —, il y avait bien quelques anciennes familles créoles comme les de Pas mais la plupart se sont éteintes ou ont quitté l'île. Le jeune Tony de Pas est le dernier de sa lignée. Je suppose qu'il pourrait se marier... avec une jolie fille saine et solide et... Pourtant je ne crois pas...

— Une vie pourrie, coupa le capitaine. C'est l'évidence même... un sang vicié quelque part dans son ascendance.

— Ce n'est que trop vrai, pauvre Tony. On dit qu'une malédiction pèse sur la famille. Je ne sais ni pourquoi ni à quand elle remonte. Nous n'écoutons pas les commérages. Oh, mais Tony est impayable. Il devrait monter sur les planches. Il nous fait rire aux larmes avec ses imitations.

— Qu'imite-t-il ?

— Les cris d'animaux surtout — d'une façon absolument extraordinaire. Il est ventriloque aussi. Il arrive à tromper le pauvre Bobby quand il se met à aboyer juste derrière lui. Il fait aussi un bruit incongru et Bobby pense que c'est lui ! Oh il imite une foule d'autres animaux — des oiseaux également. Il faut que vous fassiez sa connaissance, ma chère. C'est un garçon qui a des talents très divers. Tout ceci (elle fit un large geste du bras) était un domaine immense et prospère autrefois. Vous avez remarqué le vieux moulin ? N'est-il pas pittoresque ? Les indigènes écrasent encore le cacao avec les pieds de temps en temps mais, peu après la guerre, notre pauvre petite île a connu de mauvais jours : un cyclone a ravagé presque toutes les plantations. Le choc a tué le vieux Mr de Pas. Tony n'était encore qu'un enfant. Il a quitté l'école et s'est mis à travailler comme un... Je ne dois pas dire comme un nègre... Et il a redressé en grande partie la situation. C'est alors qu'il a mis des parcelles de terrain en vente. Harold a vu la publicité et nous sommes venus dans l'intention de faire une spéculation. Nous avons été les premiers hôtes d'Invergarrie, n'est-ce pas, Staycie ? Oh, elle continue à somnoler. C'était la vieille maison de Pas. Tony l'a transformée en pension de famille. C'était le bon temps. Nous avons acheté notre terrain et nous avons construit suivant les plans de Harold.

— Quel goût parfait, quel talent, Capitaine Cunningham. C'est absolument ravissant.

— Ha ! Eh bien... elle convient à nos modestes besoins. Je vous ferai visiter un jour.

Il grimaça un vague sourire qui n'était en fait qu'une crispation des lèvres. (Serait-ce un timide ? se demanda-t-elle. Un homme sensible et émotif sous son enveloppe rude ?)

— Ce n'est pas un palace, poursuivit-il. En fait, ma femme trouve que nous sommes tombés dans une sorte de déchéance.

— Après la Malaisie, vous savez — c'est là-bas que nous vivions avant la guerre. Servis comme des rois ! — nous étions gâtés. Alors, ici... la solitude était dure à supporter au début. Mon mari est un homme très actif ; il ne s'est pas facilement adapté à la retraite, n'est-ce pas, Harold ? Il sait être extrêmement grognon (elle jeta un coup d'œil hésitant sur son époux impassible). Mais, au bout de quelque temps, notre petit groupe a commencé à se former — Jackie et Johnny — et une vieille dame très intéressante, très attachée à Johnny ; elle est morte à présent. Et le vieux Mr Bartholomew là-haut à Invergarrie. C'est le chéri de Miss Stay. Un homme absolument passionnant avec d'exquises manières de l'ancien temps. Un grand voyageur, paraît-il. Il parle six langues ; un cerveau.

— Il déclame des poèmes, intervint le capitaine.

— Oh, il connaît des kilomètres de vers. Il emploie les expressions les plus originales. Il est amoureux de sa jument, Daisy. Il l'appelle sa bien-aimée. Il en devient gâteux, ma chère. Il ne laisse pas passer un jour sans la monter bien qu'il ait sûrement plus de quatre-vingt-dix ans. Il agite son chapeau et pousse des cris comme un cow boy ; il se parle à lui-même ou peut-être à elle, pauvre bête.

— Il paraît légèrement excentrique.

— Oh, il l'est. Si vous voulez étudier la nature humaine, vous ne pouviez mieux tomber que dans notre île. Il y a aussi Kit et Trevor, les joyeux drilles comme nous les appelons. Des garçons (plus très jeunes en vérité) très artistes et si obligeants, si serviables. Alors, vous voyez, nous constituons une vraie petite colonie. J'espère simplement que nous pourrons conserver l'atmosphère... enfin, *vous* savez l'ambiance britannique. Oh, l'Angleterre me manque terriblement. Comment était-ce quand vous êtes partie ? Le temps ?

— Il neigeait.

— Oh, la neige ! dit-elle d'une voix vibrante d'enthousiasme. Que ne donnerais-je pas pour revoir un monde vêtu de blanc ?

— Et des canalisations éclatées, que ne donnerait-elle pas pour en retrouver ?

— Ou l'un de ces doux soirs de printemps pluvieux, l'odeur des lilas humides, les grives et les merles qui chantent de *vrais* chants d'oiseaux. Il y a un oiseau par ici qui me donne le cafard, Mrs... il fait couic couic sans arrêt sur deux notes affreusement perçantes chaque matin que Dieu fait.

— Ce n'est pas l'oiseau de la fièvre cérébrale, j'espère ?

— Non, il n'est pas tout à fait aussi terrible. Les indigènes l'appellent l'oiseau qui purifie le jour, qui

20

lui donne un coup de brosse, vous voyez. C'est une idée pittoresque.

— Diable d'oiseau. J'aimerais bien le brosser. Je l'appellerai l'oiseau dépurateur.

Le couple se mit à rire de si bon cœur que le soudain grincement d'un fauteuil d'osier signala le retour de Miss Stay à l'état de veille. Comme galvanisé par une batterie électrique, son visage se contracta sous les couches de poudre et de rouge qui le couvraient. Puis elle ouvrit un œil, battit des paupières, enfin elle exhala un long trémolo de béatitude et murmura :

— Ah quel régal de s'assoupir après une longue journée de labeur. Un vé-ri-ta-ble régal. Ecoutez maintenant, écoutez donc.

Elle leva brusquement la tête et dressa une oreille attentive.

Les battements, les ahanements et les gémissements d'un orchestre de danse commencèrent à flotter dans l'air, parvenant de l'autre côté de la baie.

— Jackie et ses copains, déclara Miss Stay exultant. Ils font la fête là-bas. Ils dansent et gambadent, gambadent et dansent — comme on dit.

— Jackie et le jeune Tony donnent de petites sauteries, expliqua Mrs Cunningham. Je suppose qu'il a invité un ami de la Trinidad et une ou deux filles — des infirmières de l'hôpital. Ils semblent pleins d'énergie, vous devriez vous joindre à eux, ma chère. Vous vous ennuyez sûrement en notre compagnie — bien que nous soyons ravis de vous avoir.

— Oh, non, non, merci, non, s'écria la visiteuse affolée. Je ne danse pas. Il est très rare que je... je suis très bien avec vous.

— Jackie *vit* pour la danse. Elle fréquente les salles de bal. Il y a un an, elle est allée à un concours de danse avec Tony. Ils ont obtenu le troisième prix. Ils sont si minces tous les deux, si légers. Quand on pense qu'il est allongé en bas pendant qu'elle tourbillonne et virevolte au-dessus de sa tête pour ainsi dire, ça fait tout de même un drôle d'effet.

— Est-ce qu'il... pensez-vous qu'il en soit malheureux ?

— Je ne saurais le dire, vraiment, répondit Mrs Cunningham d'un air songeur. Johnny est un être secret. Il est difficile de savoir ce qu'il pense. Il ne se livre jamais.

Une fois de plus, la visiteuse leva les jumelles et scruta le rivage qui baignait à présent dans la pâle lumière de la pleine lune. La couronne de feuilles de l'arbre était bordée d'argent ; la cabane formait un carré d'ombre. Elle s'efforça d'atteindre l'homme silencieux et invisible qui vivait à l'intérieur, l'être qui ne se livrait jamais.

Je ne me livrerai jamais.

Alors, la pendule qui était dans sa tête se remit en mouvement ; les crépitations revinrent automatiquement, stimulant son crâne avec des fils chauffés à blanc. Et sur cette véranda ou dans sa tête des voix murmuraient, marmonnaient, fredonnaient, bruits dénués de sens, qui ne signifiaient rien. Puis tous les sons s'enchevêtrèrent dans un nœud épais de rumeurs sans tonalité puis ils se dispersèrent pour se dissoudre en un bourdonnement aigu qui allait se répercutant ; elle se sentit aspirée par un long tunnel dans un espace inconnu. Elle flottait, rebondissait un peu, juste au-dessus d'une bande de rivage — le même rivage, non, pas le même ; granuleux, légèrement iridescent, les éboulis qui le bordaient avançant comme des nappes de bronze à demi liquides. Le faible bruit des vagues retentissait à ses oreilles. Et cet antique arbre reptilien sortait de sa pétrification, il revivait, il s'enroulait violemment pour se projeter en l'air dans une explosion de tentacules ondulants sur lesquels flottait une cargaison de fruits et de feuillages luisants ; un immense bras aux mains multiples s'allongeait en travers de la cabane, l'enlaçant dans un geste de tendresse protectrice.

Alors, soudain, à l'intérieur de la tente avec une netteté stéréoscopique, la silhouette d'un homme apparut ; elle semblait suspendue dans l'air ; un homme nu jusqu'à la ceinture dominait la scène, enveloppé d'une lumière venant d'une source située derrière lui. Il semblait primitif, puissant, froid, avec une expression fixe, pareil à une figure de proue ou à un dieu de la mer, debout derrière une panoplie composée de ces feuilles de chair marine. Son regard était dirigé sur elle... à travers elle ? Subitement, il sourit, découvrant deux puissantes rangées de dents blanches. Le choc de cette vision fut brutal. Il la ramena dans son corps avec une secousse. Elle regarda autour d'elle d'un air hagard et s'exclama :

— *Oh !*

Les jumelles tombèrent de ses genoux et furent récupérées par son hôte qui lui lança un regard de réprobation sévère. Les yeux fixés sur son miroir de poche, Miss Stay était trop occupée à repeindre en rouge vermillon ses lèvres mauves, pour prêter attention à son entourage mais Mrs Cunningham s'inquiéta.

— Que se passe-t-il, ma chère ?... Ah vous avez vu Joey ! mais oui, le voici. C'est notre Joey, notre lézard apprivoisé.

En effet, une forme sinueuse aux reflets émeraude glissa le long de la balustrade, grimpa sur un pilier entouré de vignes entrelacées et se figea, le corps parfaitement immobile à l'exception de la gorge dont les pulsations étaient visibles.

— Un lézard ! articula-t-elle d'un air hébété.

— Il vous a surprise ? N'est-il pas adorable ? Il est venu spécialement pour vous regarder. Il vient toujours quand nous avons de la visite. Il est terriblement curieux. Il habite là-haut sous le toit. L'autre jour, Harold a allongé la main et nous avons retenu notre souffle : eh bien il s'est glissé dessus et est allé se poser sur son épaule. Etrange, la façon dont il nous observe. Staycie l'appelle notre esprit familier.

— Notre visiteuse va bientôt connaître notre faune locale, déclara Miss Stay en dodelinant de la tête avec force clins d'yeux. Sans parler de notre flore. Cette île est un véritable paradis pour les amoureux de la nature. Je parie que notre visiteuse est une botaniste et nous ferait honte à tous avec ses connaissances.

— Oh non, protesta la visiteuse, ignorant délibérément le ton interrogateur de la directrice qui, bien que délicatement, semblait chercher à la sonder. Je suis absolument ignorante. Je commence seulement à apprendre quelques noms : bougainvillée... frangipanier... l'arbre trompette... le flamboyant... la fleur d'entrée...

— La quoi ? aboya le capitaine.

— Une plante grimpante avec une merveilleuse fleur en forme de cloche. Il y en avait tout autour de l'auberge où Deshabille est venu me chercher. Je lui ai demandé le nom et il m'a répondu : « Oh, c'est la fleur de l'entrée de la maison. On l'appelle la fleur d'entrée. Et là-bas, c'est un oiseau commun. Sur cette île nous n'avons pas d'oiseau précieux à l'état sauvage. »

Les éclats de rire retentirent. Miss Stay s'exclama que ce garçon était un drôle de numéro.

Sauvée, je suis sauvée, se dit-elle ; sortie de l'abîme juste à temps, capable d'amuser et de prendre part à une conversation insignifiante. Ma vie n'est pas finie, après tout. Fonds-toi dans la flore et dans la faune ; excellente thérapie ; identifie-toi à Joey par exemple. Elle observa le lézard qui était descendu au milieu du pilier et l'examinait. Pendant une seconde elle réussit à se mettre à sa place. Elle était Joey agrippé au pilier, froid, immobile, indifférent, percevant les spécimens humains avec la capacité de perception propre à un lézard !

Elle osa reprendre les jumelles et regarder ce qu'elle pouvait voir au loin à la faveur de la lune et des étoiles. Regarde tout droit le point mort... il n'est plus mort. La lumière se déversait de la cabane.

Voyant soudain deux silhouettes se détacher sur le seuil de la porte, elle rendit vivement les jumelles à son hôte qui s'exclama :

— Que se passe-t-il encore ? Vous avez vu un fantôme ?

Il était agacé par sa nervosité.

— Non. Mais j'ai l'impression d'être indiscrète. J'ai cru l'avoir vu — l'homme — Johnny, ajouta-t-elle en manière d'excuse. Je ne savais pas qu'il pouvait se tenir debout.

— Ah bien... c'est sans doute que Louis le soutient. En réalité ce qu'il peut faire ou ne pas faire, il le garde pour lui. Il nous surprendra peut-être tous un jour.

— J'en suis sûre, s'écria Miss Stay avec conviction. Ce malade béni qui souffre depuis si longtemps se lèvera un jour pour s'avancer vers nous. *Prends ton lit et marche.* Je prie pour lui tous les jours. Tant de choses sont forgées par la prière... Quelle expression le poète a-t-il employée ?

— Je crois aux miracles ; mon époux n'y croit pas, dit Mrs Cunningham en secouant le bas de sa jupe pour qu'elle tombe bien, tout en examinant une jolie cheville et un petit pied dodu chaussé d'une sandale blanche à talon haut. — Toute ma vie je me suis dit : « Tous les jours, à chaque heure de la journée, un miracle se produit quelque part dans le monde. Dieu se manifeste à quelqu'un.

« Maman m'a appris cela et je sais que c'est vrai.

Seulement nous sommes tellement aveugles. Observe et attends, disait-elle. Espère sans espérer.

— Votre mère était une femme merveilleuse... Elle repose certainement dans la paix du Seigneur.

— Elle était merveilleuse en effet. Nous étions tout l'une pour l'autre. On peut dire que j'ai été gâtée.

— Pas gâtée, privilégiée, corrigea Miss Stay avec des hochements de tête plus accentués. Et le privilège n'était *pas* unilatéral avec une telle fille.

Hypnotisée par le rythme monotone des voix, la visiteuse s'enfonça peu à peu dans un état de semi-somnolence. Elle ne savait plus où elle était. Peu importait. Laisse-toi tomber dans l'irrationnel. Elle bougea imperceptiblement la main, de gauche à droite sur ses genoux comme si elle écrivait rapidement sur un bloc imaginaire : *Sont-ils tous fous ? Qu'est-ce qu'ils racontent ! Est-ce ce climat déprimant ? Es-tu ivre morte ma chère ? Capitaine incroyant, attends, je vais te révéler un mystère. Il y a quelques instants, assise près de toi, sirotant un de tes punches extra spéciaux, j'étais partagée en deux. Mon corps était ici vêtu de shantung bleu vert et MOI j'étais sur la plage. Très très étrange, Madame ! ! ! Pourtant c'est vrai. Très, très étrange mais vrai. Tout avait cessé d'être solide et était fait de rayons iridescents, et de toiles d'araignée, et de dentelle. Cet arbre avait repris vie. J'ai vu sa nature puis j'ai vu un HOMME qui souriait — m'a-t-il vue ? Je ne le crois pas, puis le choc, je suis revenue à moi avec une secousse et me voilà assise ici. Capitaine, un miracle s'est produit. Peut-être suis-je morte pendant quelques instants. Une autre fois peut-être mourrai-je plus longtemps et je ne reviendrai jamais. Allons, ce n'est pas le moment, réveille-toi, prête attention à ton hôtesse...*

Miss Stay déclarait :

— Ma mère était une beauté. C'était un véritable régal de la voir en tenue de soirée parée pour le bal ou pour l'Opéra. Comment elle est arrivée à enfanter une créature comme votre servante, c'est véritablement une des énigmes de la vie, mais elle en a tiré le meilleur parti. L'amour maternel ne m'a jamais fait défaut ! « N'oublie jamais que tu as ton propre charme, Clemmie », me disait-elle. Comme Ellie l'a mentionné tout à l'heure, je suis née la septième. Tous les autres sont morts à la naissance ou très jeunes. *Povera mama mia !* La seule qui ait atteint la maturité fut la petite Clementina, la dernière de la série. Une rouquine décharnée, une vieille poule déplumée.

— Allons, allons ne désespérez pas. Il ne faut jamais jeter le manche après la cognée. La vieille poule est coriace.

— Oh, Harold, que tu es grossier ! Ne faites pas attention à lui, chère Staycie. Il est dans un de ses mauvais jours.

— Ha, ha, s'écria Miss Stay d'un air approbateur. Je sais que le capitaine aime la plaisanterie mais je le connais ; il ne profitera jamais d'une parole lancée en l'air par une femme. C'est un parfait gentleman malgré ses airs cyniques.

— Profiter ? Jamais ! Innocent en pensées, en paroles et en actions, voilà comme je suis.

— Et nous avons dépassé ce stade, n'est-ce pas, cher Capitaine ? Finis les yeux doux... les roucoulades au clair de lune et toutes les peccadilles de jeunesse. Plus de coqs pour les vieilles poules, plus de poulettes pour les vieux coqs.

— Quoi, quoi ? Vous avez entendu madame mon épouse ? Les plaisanteries de ce genre sont strictement interdites en ces lieux.

— Oh, pardon, ça m'a échappé, dit Miss Stay d'un air contrit. D'ailleurs je ne faisais que vous rendre la pareille.

— Vous vous en tirerez à bon compte pour cette

fois. Un shilling dans la cagnotte destinée à la mission antialcoolique pour les marins. Allons, allons.

Il tendit une grosse patte velue agitée d'un tremblement.

— Je regrette de devoir vous informer, Mrs... que mon mari a une nature quelque peu despotique, dit Mrs Cunningham en allumant une cigarette avec une grâce étudiée. Si vous aviez le malheur d'être mariée à une pareille brute depuis plus de vingt ans, vous sauriez qu'il vaut mieux ne pas essayer de lui rendre la pareille, vous n'auriez jamais le dessus. Son idéal, c'est la femme esclave.

— Exact. Les coups de trique ! Il n'y a que ça pour qu'elles s'épanouissent.

— Ecoutez le mâle ! Pour lui, une femme doit être servile et ramper à ses pieds ; Mesdames, allons-nous encaisser cela sans protester ?

— Abso-lu-ment ! Très bien dit, vous ne demandez pas mieux. Ha, ha, ha !

Miss Stay prit sa tête entre ses deux mains calleuses en poussant des gloussements de plaisir mêlés de petits cris de protestation. Peut-être pour mettre une limite au badinage permis, le capitaine se souleva et saisit sa canne.

— Eh bien, c'est l'heure de ma promenade de santé, dit-il. Je vais juste faire un tour au magasin — il faut réapprovisionner les stocks, je pense. Salut mes enfants ! Ne faites pas de bêtises. Pas de bridge ce soir ?

Sans attendre la réponse, il décrocha un sac de toile d'une patère, siffla son chien, descendit en boitillant les marches de la véranda et disparut.

— Ne sois pas en retard pour le dîner, cria sa femme. Il n'a sans doute pas entendu, ajouta-t-elle ; il devient dur d'oreille. J'ai beaucoup de mal à réveiller son appétit. Il se contente de picorer. On ne le croirait pas à le voir ; un homme aussi solidement bâti.

C'est la boisson, j'en ai peur. Trouvez-vous que mon mari est un gros buveur, Staycie ?

Miss Stay prit le temps de réfléchir avant de déclarer sur un ton à la fois ferme et sentencieux :

— Je dirais que le capitaine est porté sur la bouteille. Exceptionnellement porté sur la boisson mais je ne l'ai jamais vu réellement ivre. Jamais ! La quantité d'alcool que cet homme peut absorber sans perdre l'équilibre est véritablement incroyable. Il arrive que le foie prélève son tribut chez un buveur. Mon propre père a succombé — Oh mon Dieu, mon Dieu ! Croyez-moi, Ellie, l'alcool n'aura jamais raison du capitaine. Tout le mérite en revient à vos soins. Il n'en est pas moins vrai que cet homme doit avoir un spécimen de foie extraordinaire.

— Vous savez, j'évite de me trouver sur son chemin certains matins, dit Mrs Cunningham en effaçant un pli de son front avec le bout de ses doigts fuselés. Il est un peu morose.

— Ne vous tourmentez pas, s'écria son amie. N'oubliez pas que sa jambe peut le tirailler. Non, tout bien considéré je déclare que s'il s'agissait de mariage, un homme qui boit ne me ferait pas peur. Il y a un attrait masculin... Au fait qu'en dit notre visiteuse ? Est-elle de mon avis ?

— Eh bien, je n'ai guère fréquenté de... d'hommes qui boivent. Ils sont peut-être un peu... ennuyeux, vous ne croyez pas ? Ils se répètent... ou ils sont agressifs, ou...

— Evidemment quand la limite est dépassée, c'est une autre histoire.

Une série de tressaillements spasmodiques marquait qu'elle sentait la nécessité d'une discrimination subtile. Le regard tourné vers le rivage, Ellie murmura comme quelqu'un qui tombe de sommeil :

— Oh, je ne me tracasse pas. C'est le mariage : donner et prendre. Sa jambe le tiraille. Je voudrais surtout qu'il ait l'esprit plus occupé, il est tellement anxieux mais les hommes sont généralement anxieux, n'est-ce pas ? Plus que les femmes. C'est leur nature.

— Ah, ce sont les femmes qui donnent, c'est la loi. Elles ont été créées pour appliquer le baume.

Un petit rire espiègle s'échappa de la gorge de Mrs Cunningham.

— Eh bien non, pas toujours, répliqua-t-elle. Il m'arrive de temps en temps de le frictionner à rebrousse-poil. Exprès...

— Un risque calculé ?

— Il est un peu fruste, reprit Mrs Cunningham, riant toujours. Je me rappelle souvent ce que maman me disait au moment de nos fiançailles : « Eh bien, Ellie, tu t'es éprise d'un homme qui a des profondeurs secrètes. Il est capable de placer la femme qu'il a choisie sur un piédestal. Si elle bascule, elle s'en repentira. »

— Oh vous ne basculerez pas, ma chérie, jamais.

— Je n'ai jamais été un paillasson. Il l'a compris dès le début.

— Il vous adore.

— J'étais une coquette, je l'avoue. Je n'arrivais pas à me décider.

— Vous aviez tant d'admirateurs !

— Bah... tout le monde m'adulait. Et avec Harold il y avait la différence d'âge. Mais maman pensait que c'était un avantage. Voyez-vous, ajouta-t-elle en se tournant vers la visiteuse, elle me le cachait, mais elle savait que ses jours étaient comptés et elle voulait que je sois casée.

— La sécurité pour son unique enfant.

— Oh, la sécurité ? Parfois je me demande ce que c'est. Où est-elle ? Plus nous la cherchons plus... mais oui c'était son idée. Alors nous nous sommes mariés sans tapage. Après, elle m'a dit avec un sourire indéfinissable : « Rappelle-toi, Ellie, quand l'appel viendra, je serai prête. » Elle serra les mâchoires et poursuivit d'une voix tremblante : C'était la première allusion pour me préparer mais je n'ai pas saisi. Harold savait, elle le lui avait dit, mais il lui avait promis de ne pas me l'annoncer brusquement. Il vénérait maman... et nous nous sommes partagé le privilège de la soigner jusqu'à la dernière minute. Elle nous a quittés au bout de trois mois. Il a été merveilleux. Naturellement elle est très souvent avec moi — très souvent. Je le sais à cause du parfum qu'elle laisse — un parfum de roses blanches, ses fleurs préférées. Et je pense parfois qu'il valait mieux qu'elle s'en aille quand elle l'a fait. L'absence de petits-enfants lui aurait fait trop de peine. Vous ne le croyez pas, Mrs... je n'ai pas le moindre parent au monde à part un vague cousin quelque part. Il en est de même pour Harold. Nous n'avons aucune famille ni l'un ni l'autre.

Elle se tut un instant et ajouta d'un air songeur :

— Ce n'est pas que Harold ait désiré avoir des enfants.

— Oh, quant à cela, ma chérie, vous ne devez pas vous plaindre. Dieu en a décidé ainsi pour vous dans cette vie.

— Sans aucun doute. J'avais une santé délicate. Harold a déclaré dès le début qu'il ne me permettrait jamais de la compromettre. Et notre vie conjugale a commencé en Orient... Quelle belle vie ! Servis comme des rois — tant d'activité, un entourage tellement dynamique, toujours du monde à la maison, toujours des bals, des fêtes, des spectacles... J'avais des amis adorables... Naturellement la guerre a mis fin à cette vie joyeuse. Harold a lâché son travail, il était presque arrivé au sommet de l'échelle et nous sommes rentrés. Chacun de nous a servi le pays. Après, il est parti pour la France dans le corps du Génie. Moi, j'ai travaillé dans une cantine. C'était dur, mais je dois dire que nous avons eu des bons moments. Il régnait un tel esprit de corps. A l'époque, vous étiez encore sur les bancs de l'école, Mrs...

Sa voix faiblit, elle bâilla, plongea dans le silence. Le fauteuil à bascule grinça, grinça. La main de la visiteuse recommença à remuer imperceptiblement sur ses genoux comme si elle prenait rapidement des notes : *Allons, allons, ressaisis-toi. Continue à sourire puisque c'est une association libre très thérapeutique. Que se passe-t-il ? Qui suis-je, qui sont-ils ? Voyons pas de larmes respire profondément tout ira bien Je me sens si seule sottises sottises attache-toi aux faits observe Miss Stay elle est faite d'argile séchée et de fils de fer elle porte un bonnet en soie rose avec des rubans attachés autour de son menton osseux Pourquoi ne l'enlève-t-elle jamais sert-il à maintenir une perruque C'est peut-être une perruque quelle drôle de couleur à moins qu'il ne soit là pour ajouter la dernière touche piquante ? J'ai fait une observation sur le bateau les gens d'un certain âge présentent un triste spectacle quand ils sont endormis avec leurs lèvres qui s'avancent et puis s'enfoncent dans la bouche — s'avancent et s'enfoncent OBJETS PERDUS NON RECLAMES. Allons arrête ne sois pas morbide comme Bobby pense au sommeil charmant au sommeil qui démêle l'écheveau embrouillé de la vie et permet l'oubli l'oubli pense aux enfants paisiblement endormis — plongés dans un sommeil insondable exposés et en sécurité comme des fruits et des fleurs en vitrine pense aux nénuphars sur l'eau sombre maintenant la fleur se referme pense aux nids d'oiseaux tapissés de plumes et de mousse pense aux marrons glacés brun doré mouchetés de crème rangés dans des boîtes vertes doublées d'une substance soyeuse SPECTACLE DELICIEUX il vaut mieux s'en tenir à cela pose ton regard sur des choses belles indifférentes ce lézard ces palmiers qui s'agitent au clair de lune se penchant tous ensemble tignas-*

ses bordées d'argent se dressant s'inclinant... Ces femmes se sont endormies je crois sans faire attention à moi grâce au ciel vais-je écrire mon rêve non je ne peux pas voyons si je m'en souviens. Elle ferma les yeux. Sa main resta immobile. Les fragments du rêve de la nuit précédente se mettent en place.

Un vaste rivage se déploie soudain : un abrégé de rivages aimés, théâtres de jeux de l'enfance, la mer très loin, des cailloux et des galets descendant vers un sable brun avec des rides à la surface. Une lumière étrange, un jour sans soleil. Une fille sur un poney galopant, surgi de nulle part, une fille avec de longues tresses blondes, connue mais différente et le poney à demi familier, courant, volant presque avec un plaisir anticipé pour atteindre la mer. Puis la fille et le poney disparaissent ; plus de chevauchées ardentes, plus de mer lumineuse. Une affreuse étendue de broussailles s'étale devant elle, buissons étouffés par des plantes charnues poussiéreuses, ternes. Tout est desséché, épineux, affamé, assoiffé. Une voix crie : « Regarde l'arbre ! » Alors, soudain au milieu de cette obstruction végétale empoisonnée, l'arbre se dresse haut, élancé, délicat comme un dessin d'estampe japonaise. Sa couronne se couvre de fleurs, neigeuse, parsemée de points roses. Il projette une branche et, sur cette branche, un oiseau, un oiseau avec une crête ornée de pierreries et des plumes iridescentes. Un oiseau de Paradis. Une voix dit : « Oiseau d'amour ! » Elle tend une main. Il incline la tête et donne des coups de bec cruels ; il disparaît. Une voix dit : « Cet arbre doit être abattu. Il est mort. » Elle s'écrie : « non, non ! » et se réveille en sursaut, terrifiée.

Encore épouvantée, elle ouvre les yeux, regarde affolée autour d'elle et voit que Miss Stay l'observe des profondeurs de ses orbites.

— C'est un véritable régal de voir une femme blonde dans ce coin du globe, murmura-t-elle. J'aime contempler les femmes à la peau blanche. Les amoureux affluent dans son sillage, je pense.

— Attendez que les joyeux drilles vous voient, dit Mrs Cunningham avec un rire léger. Non pas qu'ils soient... mais ils apprécient les œuvres d'art. Trevor voudra vous photographier ; c'est aussi sûr que deux et deux font quatre. Et vous ferez les délices de Johnny. Entre nous, Johnny est mon prince charmant mais vous allez m'évincer je le crains.

— Oh non... je ne sais pas... Vous vous trompez complètement. Je ne suis pas... J'ai été souffrante ces derniers temps...

Des larmes jaillirent de ses yeux, inondant son visage. Mrs Cunningham se pencha en avant et lui tamponna doucement les joues avec un fin mouchoir de dentelle.

— Quelle pitié, ma chère petite ! Je vous trouvais un peu abattue. Non que vous le paraissiez. Elle a besoin qu'on s'occupe un peu d'elle, n'est-ce pas, Staycie ? Nous allons veiller à ce que vous vous remontiez vite.

— Merci. Vous êtes très gentille. Je suis navrée d'être aussi...

— Dites donc quelque chose, Staycie, cria Mrs Cunningham avec une brusquerie inattendue.

Miss Stay ne répondit pas mais elle tenait son menton appuyé contre sa poitrine dans une attitude de profonde méditation. Toute son étrange personne parut se modifier, s'immobiliser, prendre un caractère imposant. Enfin, elle secoua tristement la tête et poussa un profond soupir. Dans le silence qui suivit, quelque chose parut se conclure. La visiteuse sécha ses larmes et sentit sa gorge se desserrer. Mrs Cunningham se mit à fredonner l'air de danse qui parvenait de la colline, porté à travers la baie.

— Cet air est imprégné de sensualité, remarqua-t-elle. Je me sens toute drôle.

— Imprégné de sensualité, il l'est en effet, approuva

son amie avec conviction. Ah ! il y a sûrement des jeux d'amour là-haut n'en doutez pas ! Il y a un temps pour la danse, un temps pour... toutes choses dans ce bienheureux monde de Dieu. Mais chantez-moi donc une vieille chanson de jadis pour me faire plaisir. *Annie Laurie* ou *Barbara Allen*. Quelle joie d'entendre votre douce voix, un véritable régal !

Mrs Cunningham s'arrêta de fredonner et protesta avec une sorte d'indignation.

— Non, Staycie, non. J'ai oublié *toutes* mes chansons. J'ai honte de m'entendre. Vous ne me croirez peut-être pas, ma chère, mais il fut un temps où j'ai été exhortée, positivement exhortée, à embrasser la carrière du chant. Mr Barstow y tenait beaucoup. Rex Barstow, mon professeur, vous le connaissez peut-être de nom. Musicien jusqu'au bout des ongles et tellement charmant. Quand je lui ai annoncé que j'allais me marier il est resté sans voix. Les veines de son front ont sailli — j'étais stupéfaite. Il était marié et frisait la cinquantaine. J'ai toujours senti que le couple ne s'entendait guère.

Des sons inarticulés s'échappèrent des lèvres de Miss Stay, dont le visage reflétait toutes les phases de la lutte que livre un être fort pour rester maître de lui.

— La cinquantaine est un âge dangereux pour les hommes, continua Mrs Cunningham d'un air songeur. Ils traversent leur période de crise. Je me demande parfois s'il était partial ou aurais-je vraiment pu réussir dans le monde de la musique. Mais maman ne voulait pas en entendre parler. Elle pensait que je ne supporterais jamais l'effort exigé.

— Quant à cela, une mère est le meilleur juge, son instinct la guide. Elle perçoit la faiblesse...

— Je n'ai *jamais* été faible, protesta Mrs Cunningham avec une vivacité qui donna à sa voix un ton tranchant.

— Oh ! la morale n'est pas en question, ma chérie. Je voulais dire qu'elle sentait que les bonnes fées qui entourent les berceaux avaient omis de vous accorder un don — la résistance vous savez — qui permet de grimper au sommet de l'arbre envers et contre tous. Ainsi tout est pour le mieux.

— C'est le destin. Je crois que tout dépend du destin, pas vous ?

— Par conséquent tout est pour le mieux.

— Oh ! Staycie, vous êtes vraiment stupide parfois. Que faites-vous de la mauvaise fée ? Il me semble qu'elle fait une apparition à chaque naissance.

— Quelle pensée profonde vous venez d'exprimer, Ellie. Emmêler l'écheveau et nous le donner à démêler. Que serait la vie sans cette lutte ? Croyez-moi, mes amies, croyez en ce vieux sac d'os tout juste bon à mettre au rebut. Tout est pour le mieux, voilà le refrain que nous devrions constamment avoir en tête, nos épreuves et nos tribulations ne sont que des enseignements, des occasions qui nous sont données d'apprendre nos leçons. Elles font partie du plan divin conçu pour nous.

Après un silence, Mrs Cunningham remarqua sur un ton plus gai que nous saurions tout un jour.

Les fauteuils à bascule oscillaient sans interruption. La visiteuse avança avec précaution dans le nouvel élément de paix et d'oubli dans lequel elle eut soudain l'impression d'évoluer. Comme arrêté par un rayon invisible, son regard intercepta celui de Miss Stay dont les yeux pareils à des puits avec une étoile dans leur profondeur voilée, étaient posés sur elle, la contemplaient de très loin. Une voix grave sortant de sa gorge prononça :

— *Aie confiance en ton malheur comme tu aimais ton bonheur et tu connaîtras une immense félicité et une plus grande liberté.*

Alors Princesse apparut marmonnant des paroles

inintelligibles ; aussitôt Miss Stay revint à elle, se frappa le front et s'exclama :

— Mon vétéran m'attend ! sans parler des nouveaux arrivants qui ne vont pas tarder à apparaître. Ellie, vous êtes une sirène. « Ne me quitte pas » devrait être votre refrain. Il faut que je me bouche les oreilles et que je reprenne le collier.

Avec un violent coup de ses espadrilles noires, elle se leva de son fauteuil, exécuta un salut militaire, couvrit la longueur de la véranda en trois longues enjambées et disparut.

Mrs Cunningham partit d'un éclat de rire joyeux.

— Elle vous a complètement oubliée. Restez ici. Surtout ne bougez pas. Entre nous, cette chère Carlotta n'est pas le meilleur des cordons bleus ; Staycie ne le remarque pas. J'ai été tellement gâtée en Orient que je ne devrais pas critiquer. Mais si Mr Bartholomew vous voit seule à table, il vous invitera sûrement à vous joindre à lui. Il est la courtoisie incarnée, mais il est parfois un peu ennuyeux. Tenez-moi compagnie. Mon seigneur et maître ne reviendra pas avant... Dieu sait quand. A mon avis, il finira la soirée avec Jackie et sa bande. Ils raffolent de lui.

Le son d'une cloche vigoureusement secouée parvint de l'étage supérieur.

— C'est Staycie, ne faites pas attention. Pauvre Staycie, pauvre chère vieille chose. N'est-elle pas merveilleuse ? Une vraie perle !

— Elle me rappelle quelqu'un...

— Pas possible. Moi qui croyais que Staycie était unique.

— C'est quelque chose dans ses tournures de phrases, le même vocabulaire pittoresque.

— Pittoresque est le terme approprié.

— Quelqu'un que j'appelais Taty Mack.

— Votre tante ?

— Non, pas une parente. Je ne l'ai vue qu'une fois.

J'avais huit ou neuf ans. Je n'ai pas pensé à elle depuis des années ; une fois, un après-midi ; mais elle m'a produit une grande impression. Elle ne semblait pas réelle, on aurait dit un personnage de pantomime, une sorte de sorcière mais pas effrayante du tout, comique plutôt. J'imagine qu'un enfant pourrait être... surpris par Miss Stay mais fasciné.

— N'importe qui pourrait l'être. L'aspect extérieur de Staycie est un véritable handicap. Ses réflexes sont purement et simplement détraqués. Vous savez ce qu'est la danse de Saint-Guy ? — c'est une défaillance de ce genre produite par des traumatismes. Il y a de sinistres squelettes dans le cabinet noir de la pauvre Staycie : folie, suicide et Dieu sait quoi. Je n'ai pas osé la questionner et elle ne parle jamais de ses ennuis personnels. Elle est un exemple pour nous tous.

— C'est vrai, c'est absolument vrai. *Ne jamais parler de ses ennuis personnels. Enfermez vos squelettes et souriez, souriez, souriez.*

— Je ne sais si vous comprenez qu'elle est guidée ?
— Guidée ?
— Par l'Esprit. Entièrement guidée par l'Esprit, par ses Voix. Elles parlent par sa bouche — quand les âmes en peine viennent à elle. Elle n'a jamais eu de message pour moi. Il est vrai que je ne suis pas une âme en peine. Si jamais j'avais des problèmes, je suis sûre qu'elle me guiderait. C'est un message qu'elle vous a laissé avant de partir. Ce n'était pas Staycie qui parlait. Je vous le dis pour le cas où vous seriez un peu intriguée. Je crois que c'est la seule de ses voix qui parle aujourd'hui.

Voyant que la visiteuse restait muette de surprise, elle poursuivit :

— C'était à propos de la confiance, vous voyez, et de temps meilleurs à venir. Je n'ai pu m'empêcher d'écouter. Je trouvais que c'était tellement salutaire.

— Oh ! oui, je le crois aussi. Je...

— Ne vous tracassez pas, ma chérie. Je ne suis pas indiscrète. Staycie non plus. D'ailleurs, il est probable qu'elle ne s'est même pas rendu compte de ce qui se passait, mais je peux dire que vous avez eu un coup dur. Regardez simplement droit devant vous comme elle l'a dit. Peut-être votre arrivée dans ce coin perdu du monde était-elle prévue. Ne croyez pas que je sois curieuse, mais il est bizarre qu'une jolie fille comme vous se trouve seule. Nous avons généralement des couples mariés ou autres.

Puisant les mots dans sa gorge dure comme du bois, la visiteuse expliqua :

— Je n'avais pas l'intention de venir seule mais, à la dernière minute, j'ai reçu un message — pas comme ceux de Staycie, ajouta-t-elle avec un sourire douloureux. Un télégramme remis dans ma cabine : « Projets modifiés. »

— Projets modifiés ?

— A la dernière seconde. Nous allions partir ensemble. Il a changé d'avis je suppose. Je ne sais pourquoi. Il ne l'a pas dit... le choc a été...

— Aucune explication ?

— Non, simplement : *Panne. Pardon. Lettre suit.*

— Panne ?

— C'est un mot qu'il emploie quand nos plans échouent. Je n'ai aucune nouvelle depuis.

Un silence surpris régna une demi-minute, après quoi un chapelet de mots sans suite tels que mufles... brutes... tous les mêmes... mieux vaut se passer d'eux... la fierté d'une femme... sortit de la bouche de la compatissante hôtesse qui s'enquit ensuite :

— Vous n'étiez pas sa femme, ma chérie ?

— Non. Je devais l'épouser. Du moins, c'est ce qui était prévu. Il a une femme. Ils étaient plus ou moins séparés avant que nous nous connaissions.

— Un homme marié, oh, mon Dieu ! A mon avis,

vous devez l'oublier. Il ne mérite pas que vous pensiez encore à lui. Un individu infidèle à deux femmes... à plus de deux je parie.

À cette pensée déplaisante qui avait déjà traversé l'esprit de la visiteuse, une vive rougeur lui monta au front.

— Harold dirait qu'il mérite la cravache, reprit-elle, et il aurait raison.

— Vous êtes si bonne. Cela fait du bien de pouvoir se confier. Sur ce navire de cauchemar je suis restée dans ma cabine les premiers jours mais quand il a fait plus chaud je n'ai plus pu. Alors je me suis installée sur une des chaises longues du pont et j'ai prétendu que j'étais malade, mais il y avait un colonel à bord, un veuf. Il était très pressant.

— Vous voulez dire qu'il était attentionné ?

— Très. Pure curiosité je pense. Il me trouvait énigmatique. En fin de compte il m'a offert de m'épouser.

— Eh bien ! Et sa proposition ne vous a pas réconfortée ?

Se souvenant des propos du colonel et de son aspect, elle secoua vivement la tête.

— Certains prétendent que c'est le plus grand hommage qu'un homme puisse rendre à une femme. Mais s'il vous déplaisait...

— J'aurais sans doute dû me montrer plus reconnaissante.

Propos oiseux, conversation d'écolières, idées démodées sur le code de la chevalerie et de l'honneur. Pourtant c'était réconfortant. Que le mufle apparaisse et soit reçu à coups de cravache — oui, par Harold. L'image surgit et elle fut secouée d'un fou rire.

— Pardonnez-moi si je ne vous dis pas les mots que vous attendez, ma chérie, mais j'espère que vous n'aurez plus aucun rapport avec lui, même s'il vient

se traîner à vos genoux, ce qu'il ne manquera sûrement pas de faire.

Elle eut un instant la stupide conviction que Mrs
Cunningham possédait une sagesse exceptionnelle et
un don de divination. Avec effort, elle écarta cette
idée et reprit mais sur une note plus gaie :

— Ce n'est pas tout à fait dans son caractère mais
parlons d'autre chose, des Voix de Miss Stay par
exemple.

— Ses Voix, hum... Elle est très discrète à ce sujet.
Autrement les gens afflueraient vers elle de partout.
Ou bien, au contraire, ils la déclareraient atteinte de
folie. Il n'y a pas si longtemps elle aurait été brûlée
pour sorcellerie comme Jeanne d'Arc. Dans la situation présente, il faut qu'elle paie cher ; les dons de
l'Esprit se paient toujours, dit-elle. Elle peut *voir* aussi
bien qu'entendre, vous savez. Nous avions un bull-
terrier si adorable, il s'appelait Sammy, diminutif de
Samson. Il est mort paisiblement de vieillesse mais
nous avons eu une peine affreuse. Il est enterré ici
parmi ses buissons favoris où il enterrait ses os. Quelques jours plus tard, Staycie l'a vu arriver tout fré-
tillant et rajeuni, il est venu blottir sa bonne grosse
tête sur mes genoux comme il le faisait d'habitude
puis il s'est installé près du fauteuil de Harold. Je l'ai
crue bien sûr. C'était tellement naturel mais Harold
a failli avoir une attaque. Il a cru que nous étions
complètement cinglées et que nous voulions troubler
ce précieux animal qui dormait paisiblement dans sa
tombe, enfin que nous cherchions à le ressusciter ou
quelque chose d'analogue. Staycie a tout de même
réussi à le calmer en fin de compte. Elle y arrive
toujours. Il la respecte. En fait, je crois qu'au fond de
son cœur, il aspire à croire, Staycie est tellement
adroite en ce qui concerne ses préjugés. D'après la
façon dont je parle de lui, vous pourriez vous demander pourquoi je l'ai épousé.

— Non, non, pas du tout. Les raisons qui poussent les gens au mariage sont tellement...

— C'est vrai. C'est un mystère. Aucun rapport avec tout le reste.

— D'ailleurs les préjugés existent à cause de la diversité des êtres. Votre mari serait peut-être moins intéressant sans ses préjugés.

— Ah! vous le trouvez intéressant. J'en suis heureuse. C'est un brave homme, mais son humeur me donne le cafard, parfois. Il y a des gens qu'il ne peut pas supporter et quand il a quelqu'un dans le nez rien ne peut le secouer.

— J'espère qu'il pourra me supporter.

— Seigneur, oui. Il aime les femmes qui ont de la classe... Pourtant, quand j'y pense, la classe ne suffit pas toujours. Nous avons eu ici une femme très distinguée. Elle est venue peu après notre arrivée — comment s'appelait-elle donc? J'ai son nom sur le bout de la langue. Je ne me rappelle jamais les noms. Enfin, peu importe — elle avait un certain âge, le cœur faible et une santé fragile. Bref, elle est morte ici. Staycie et elle s'étaient liées d'amitié. Harold ne *pouvait* absolument pas rester dans la même pièce qu'elle — elle lui produisait l'effet que les chats produisent à certaines personnes. Elle avait des yeux bizarres, un regard qui semblait vous percer de part en part — c'est ce qu'il ne pouvait souffrir. Je lui ai dit que ce n'était pas étonnant avec une aura aussi sombre que la sienne.

— Comment l'a-t-il pris?

— Bah! Je sais toujours le remettre de bonne humeur si je vais trop loin, ou presque toujours. (Elle eut un petit rire). Le mariage est fait de quatre-vingt-dix pour cent d'habitudes, vous ne croyez pas? Si Harold doit disparaître avant moi, je me demande comment je pourrai perdre l'habitude de dire « Nous », voilà en un mot ce qu'est le mariage.

— Oui, murmura la visiteuse.

Mais ce n'est pas en un mot l'aventure amoureuse, pensa-t-elle. Quand « nous » ne peut être « nous » qu'en privé ou dans certaines circonstances, il manque l'armature qui protège les structures contre l'érosion du temps. Quand on voyage, on s'aperçoit que le monde est un vaste complexe avec des cohabitations non moins aberrantes que l'union du capitaine et de sa compagne. Jour après jour, année après année, toute une vie durant. Epouse bien-aimée, époux bien-aimé — quand vient la dernière maladie douloureuse et éprouvante dont le point final figure avec tout le cérémonial approprié dans la chronique nécrologique. Couples sensés, rassis, ternes, fidèles qui se supportent mutuellement sans espoirs ambitieux. Cette femme d'avant-guerre, jolie, effrontée, chaste, provocante avec sa cervelle d'oiseau et ses airs de personnage d'opérette ne serait jamais candidate à l'épreuve torturante de la dislocation sexuelle.

Au bout d'un moment Mrs Cunningham se mit à bâiller.

— J'ai un peu faim, dit-elle. Pas vous ? Savez-vous quoi ? Nous allons descendre et manger à la fortune du pot chez Johnny. Qu'en pensez-vous ? J'aimerais que vous fassiez sa connaissance.

— Peut-être ne tient-il pas à faire la mienne.

— Sûrement oui. Il accueille toujours avec plaisir les amis que je lui amène. Il m'arrive souvent d'aller lui rendre visite le soir. Louis est un excellent cuisinier. Venez, dépêchons-nous.

Longeant la palmeraie qui borde un côté de la baie, elles émergent sur la plage — sur ce croissant de poudre de corail étincelante parsemée de sable de nacre écrasée et de fragments de bois noir avec des rubans d'algues couleur de parchemin séché, des écorces de palmier, des carapaces de crabes, des copeaux de bambous et d'autres squelettes blanchis par l'eau salée, tous figés sous l'œil incandescent de la pleine lune. Bientôt, elles s'arrêtent juste au bord de l'eau où les dernières transparences cristallines et azurées glissent, se dissolvent, exhalant sans cesse un faible murmure, un bruissement soyeux. Elles contemplent le tableau impressionnant qui se détache à mi-chemin : une cabane, un cep maritime pétrifié, baignant dans une lumière fantomatique traversée d'ombres bleunoir, dures, sinueuses ; tout l'ensemble ressort en relief stéréoscopique, accentuant cet effet de masse pesante et lourde de sens qu'il a déjà commencé à produire. Au centre brille la lueur ambrée d'une lampe allumée.

La visiteuse ôte ses sandales, sent la douce caresse des vaguelettes qui viennent expirer autour de ses pieds. L'autre lève la tête et pousse un hou-ou-ou aigu et prolongé. Silence ; puis un hululement répond.

— C'est lui, explique-t-elle. Cela signifie que la voie est libre.

Et elles avancent vers l'étrange logis de Johnny.

— Vous savez, je ne lui amènerais pas n'importe qui, ajouta-t-elle, mais je suis sûre que vous lui plairez, vous êtes calme. Il ne peut supporter les gens bruyants, les voix criardes, les jeux brutaux. Il a horreur de la bande que Jackie invite là-haut. Quant à Jackie, elle est aussi agitée qu'un chiot attaché à une ficelle. J'ai dit qu'il était le grand amour de ma vie — c'est vrai. Ce n'est pas réciproque naturellement mais il me supporte. Il est très bon. J'espère que je ne serai pas jalouse de vous.

— Bien sûr que non. Quelle idée ! Aime-t-il Jackie ?

— Je crois qu'il la déteste. Je n'aurais pas dû dire cela. Oubliez-le. D'ailleurs, je doute qu'il aime qui que ce soit. Peut-être a-t-il aimé autrefois, avant de... Je crois qu'il a été fiancé et qu'il a rompu après l'accident. Pauvre fille. Je l'imagine grande, blonde, sportive. Peut-être a-t-il aimé cette vieille Mrs — son nom me reviendra. Elle avait l'âge d'être sa grand-mère, mais elle ne se comportait pas en vieille dame. Je suppose qu'elle a dû être une sorte de femme fatale — et, même quand elles atteignent un grand âge, les personnes de ce genre n'abdiquent pas. Elles ont autre chose que le sex-appeal ordinaire. Il en va de même pour Johnny. Vous verrez par vous-même.

Alors, elles arrivent devant la cabane dont la surface incrustée de coquillages luit et scintille, du seuil, elles voient Johnny assis dans un fauteuil roulant, devant une table sur laquelle est installé un jeu d'échecs.

— Johnny, dit-elle, je vous amène une nouvelle amie. Elle est arrivée il y a quelques jours.

Il m'adressa un charmant sourire en me regardant bien en face.

— Je ne sais *toujours* pas votre nom, ma chérie, enchaîna Ellie.

— Peu importe. Je n'aime pas beaucoup mon nom.

— Mais vous ne pouvez tout de même pas rester anonyme.

Je luttais contre mon désir morbide d'effacer mon identité, de ne pas révéler mon nom, lorsqu'il dit doucement :

— Pourquoi pas ? Elle voyage incognito. Nous l'appellerons Anonyma.

— Anémone ! C'est joli. Un nom grec je crois. Il lui va bien, n'est-ce pas, Johnny ?

Peut-être sentit-elle que sa réponse inattendue avait immédiatement créé un lien entre nous. Quoi qu'il en soit, la pauvre Ellie lancée par quelque caprice du hasard dans ces présentations sommaires commençait à perdre son sang-froid et son bagou.

— Je jure que je ne fuis pas la police, dis-je, ni personne d'ailleurs.

— En tout cas, je suis enchanté de vous connaître, dit-il courtoisement.

Il avait une voix grave teintée de mélancolie comme toutes les voix séduisantes. Il devait savoir jouer de ses cordes vocales pour taquiner, pour attirer ou pour tenir à distance les femmes qu'il fascinait.

Il s'avança vers moi dans son fauteuil roulant. Je vis alors que ses genoux étaient recouverts d'une sorte de cape bleue.

— Excusez-moi de ne pas me lever, dit-il sans me quitter des yeux. Venez vous asseoir mais où ?

— Sur la marche, dit Ellie sèchement. Tenez, voilà un coussin.

Je pensai qu'elle était démontée par ce long échange de regards qui corroborait, semblait-il, ses pires craintes, à savoir que le coup de foudre s'était produit sinon elle devait me trouver très impolie de rester là à le fixer des yeux. C'était bien lui que j'avais vu un peu plus tôt : cheveux noirs épais et ondulés, avec une grande mèche blanche, encore mouillés et décoiffés après le bain : chemise bleue à col ouvert, épaules magnifiques, sourcils noirs bien arqués, sourire découvrant une belle rangée de dents blanches. Ses yeux sont grands et clairs comme l'eau de la mer par un jour sans soleil. Froids aussi — oui froids. Sa peau est couleur de cire avec une tache de carmin sur ses pommettes saillantes ce qui donne à son visage émouvant quelque chose de plus irréel encore — cet air de figure de proue, de dieu marin que j'avais déjà remarqué.

Nous étions assises sur la marche supérieure de chaque côté de son fauteuil, le regard tourné vers le grand demi-cercle brillant que forme la mer. Louis nous apporte des punches au rhum et, plus tard, des petits poissons grillés avec du citron et des assiettes de fruits variés ; papayes, bananes, avocats. Nos langues se sont déliées. Johnny boit sec ; nous aussi peut-être. En jetant un coup d'œil par-dessus mon épaule je vois une pièce aux murs entièrement garnis de

rayons de livres ; des paravents en bambou, un gramophone, une guitare, une machine à écrire, une chaise
longue en rotin.

A un certain moment de la soirée, Ellie le persuada
de me montrer un album de croquis coloriés représentant des natures mortes : coquillages, feuilles, orchidées, fruits — toutes sortes de ravissants objets indigènes. Je le complimentai sur ses talents artistiques.

— Sottises, dit-il en refermant l'album. C'est un
simple passe-temps.

— Ne me dites pas que vous avez abandonné le dessin, s'exclama Ellie. C'est mal ; ces croquis devaient
servir à illustrer un livre.

— C'était l'intention de Sybil, une idée absurde.

— Vous auriez collaboré à un livre sur l'île. Elle
était écrivain, n'est-ce pas ?

— Entre autres.

Son sourire s'élargit puis s'effaça brusquement.

— Anstey, s'écria-t-elle. Son nom me revient à l'instant, Sibyl Anstey. Dommage que vous ne l'ayez pas
connue, n'est-ce pas, Johnny ? Une femme extraordinaire.

— Je l'ai connue, dis-je.

Mais ils n'entendirent pas car j'avais dû parler à
mi-voix. Je me sentais un peu étourdie.

— Elle nous a certainement tous mis au pas, dit-il
avec une nuance d'ironie.

— Oh ! que oui ! vous rappelez-vous ces... exercices
spirituels qu'elle nous apprenait pour libérer une chose
ou l'autre. A quoi voulait-elle en venir au juste ?

— A réveiller notre potentiel créateur latent je
crois, répondit-il avec un petit rire.

— Eh bien ! ses exercices n'ont pas réveillé le mien,
grommela Ellie d'un air renfrogné.

— Vous n'avez pas essayé avec assez de conviction.

— Ils n'ont pas non plus réveillé ceux de Jackie ou

de Kit ou de Trevor. J'ai vraiment essayé ; elle ne s'intéressait en réalité qu'à réveiller le vôtre.

— Ellie ne l'aimait pas beaucoup, expliqua Johnny.

— Ce n'est pas vrai. Je l'admirai énormément mais je ne pouvais lui servir à rien. Elle était tellement brillante et... seulement quand les gens le font sentir, ce n'est pas très...

Le reste de sa phrase devint inintelligible. Un torrent de larmes inonda ses joues livides sous la lumière blafarde de la lune ce qui donna à son visage aux yeux ronds et à la bouche en cœur un aspect mi-comique mi-pathétique de Pierrot pitoyable.

J'intervins alors en disant :

— Ne vous tourmentez donc pas. Elle n'avait aucune idée de ce que vous ressentiez. Elle a dû se dire : « Je ne sais comment cela se fait mais il existe une certaine antinomie entre cette femme charmante et moi-même. Quelle peut bien en être la cause ? Aurais-je commis une maladresse ? »

J'entendais ma propre voix adoptant de plus en plus les inflexions et les accents que ma mémoire évoquait. Je repris :

— Oh ! elle aurait dit encore bien d'autres choses. « Vous devez éduquer votre *vue*, apprendre à observer avec *exactitude*. Je peins les fleurs très joliment, les autres pourraient en faire autant s'ils savaient seulement distinguer le vert dans le blanc. »

Tous deux me fixaient du regard. Ellie semblait abasourdie, Johnny haussait un sourcil. Je me lançai dans une série d'explications. Dans un éclair fulgurant je me vis avec Jess — et mademoiselle, gravissant péniblement la colline de la Gardeuse d'Oies avec des paniers de primevères, ouvrant une porte bleue encastrée dans un haut mur de briques couleur fraise et affrontant pour la première fois l'Enchanteresse.

— Je l'adorais, poursuivis-je. Elle me racontait d'interminables histoires. Elle me charmait littéralement.

48

Elle avait trois petits-enfants : Malcolm, Maisie et Cherry. Nous nous amusions à rouler à bicyclette dans son jardin, à grimper aux arbres et à nous balancer. Elle avait un mari qui ne parlait jamais, le major Jardine. Elle s'appelait Mrs Jardine quand je l'ai connue. Anstey était son nom de jeune fille. Vous ne l'appeliez donc pas Mrs Jardine ici ?

— Elle n'a jamais parlé d'un major de ce nom devant moi. Et devant vous, Johnny ?

— Pas souvent, dit-il prudemment.

— Peut-être y a-t-il eu une tragédie dans sa vie, dit Ellie soudain frappée par une pensée qui lui plut. Peut-être voulait-elle oublier. Ici c'est l'endroit idéal pour... hum pour laisser le passé derrière soi.

Elle me lança un regard mi-complice mi-contrit.

— Il y a eu plusieurs tragédies dans sa vie, dis-je. Une série de drames. Le major est mort pendant la guerre. C'était un homme triste et taciturne. A présent je me rends compte qu'il devait boire. Elle ne devait pas être facile à vivre. Elle a correspondu avec ma mère pendant un certain temps mais, après la guerre, nous avons perdu tout contact. Je me demande pourquoi elle est venue ici. *Pour le recueillement ?* Elle considérait que c'était une nécessité.

— Oui, c'est cela, dit Johnny.

— Elle est venue à cause de vous, Johnny, dit Ellie sèchement. Elle vous a suivi. Vous le savez très bien.

— Je suis restée plusieurs mois dans l'hôpital qu'elle dirigeait en France, expliqua Johnny qui s'accrochait obstinément aux faits. Nous avons fini par nous connaître assez bien. Elle a été très bonne pour moi — elle m'a aidé à me ressaisir. Elle avait une méthode pour cela : la rééducation, par une occupation appropriée.

— La vannerie ? suggéra Ellie.

Il se mit à rire.

— Elle a dû employer une méthode plus originale, dis-je.

Il fit un signe affirmatif. Je vis leurs relations dans une sorte de clarté brumeuse ; je compris pourquoi elle avait suivi cet homme splendide si éprouvé ; du fond d'une grotte de ma mémoire retentissaient les notes graves et caressantes de la voix de sirène de Mrs Jardine, énumérant et pleurant ses amants perdus.

— Elle est morte *ici* ? dis-je. Je ne puis le croire. Quand ?

— Il n'y a pas si longtemps — deux ans, n'est-ce pas, Johnny ? Elle avait une petite-fille médecin dont elle était très fière. L'avez-vous connue ?

— Maisie ? Oh ! oui. Je ne savais pas qu'elle était médecin.

— Le docteur Maisie Thomson, dit-il d'un air amusé. Une créature splendide.

— On l'a appelée — Staycie l'a avertie, je crois. En tout cas, elle était là pour la fin mais je ne l'ai jamais vue, malheureusement. Cette année-là, Harold a eu envie d'aller faire une croisière autour des îles. Quand nous sommes revenus, tout était fini. Il n'y a qu'une toute petite église ici au sommet d'une colline. Je suis allée une fois là-haut voir sa tombe avec Kit et Trevor. Une seule inscription est gravée sur la stèle : SIBYL ANSTEY. Pas même les dates. Un peu terne pour une personnalité aussi haute en couleur. Je suppose que c'était sa volonté expresse, Johnny.

— Oui.

— Dire que vous l'avez connue : quelle étrange coïncidence ! Que le monde est petit ! Je suppose que vous avez lu ses livres.

— Non, jamais. Ils étaient bannis de notre bibliothèque. Ma mère les trouvait nuisibles.

— Bonté divine ! J'aurais cru qu'ils étaient plutôt romantiques, idéalistes. Etaient-ils du genre cru ?

— Médiocres, disait mon père. Et je crois qu'il n'avait pas tort. Mais Sibyl Anstey, Mrs Jardine, elle-même, ressemblait à une héroïne de légende, ajoutai-je vivement pour prévenir sa réaction devant ce dur jugement. Une reine mythique. On n'oublie jamais une créature aussi phénoménale. Il m'arrivait souvent de rêver à elle.

Les souvenirs me revinrent en foule ; je me hâtai de les accrocher bout à bout comme des morceaux de corde pour atteindre un groupe de naufragés échoués sur une île déserte dans un passé lointain et moi-même parmi eux. La sensation de quelque chose qui approchait le surnaturel dans cette phase des événements m'excitait et contribuait à rendre mes descriptions vivantes, pittoresques.

— Quelle heureuse enfance vous avez dû avoir, dit Ellie. Ces maisons et ces jardins ravissants. Une famille si agréable et tant de camarades de jeux. Moi, j'étais fille unique et... nous manquions d'argent après la mort de papa. Maman n'a pas pu me donner toutes les possibilités qu'elle aurait voulu pouvoir m'offrir.

Nouvelle crise de larmes, Johnny lui tendit son grand mouchoir tout propre.

— Séchez vos larmes, mon lapin. Essuyez vos mirettes, mon bébé, dit-il gentiment.

A ces mots, elle se mit à pousser de petits gloussements.

— Suis-je stupide, s'exclama-t-elle. C'est votre faute, Johnny. Ne me demandez pas pourquoi mais c'est ainsi. Merci pour ce magnifique mouchoir. Comme il sent bon ! Est-ce que je peux le garder ?

Elle s'en couvrit le visage et inhala profondément puis elle reprit en me jetant un regard complice :

— J'en avais un très mignon mais il a eu un triste sort au début de la soirée. *Trempé* ma chère... n'est-ce pas ?

Je me mis à rire moi aussi.

— C'est vrai, dis-je. C'était aussi la faute de Johnny bien que je ne puisse expliquer pourquoi.

— D'après Louis, c'est la faute de la pleine lune, dit Johnny. Si vous avez envie de hurler, c'est elle qui en est responsable.

— Je veux bien le croire, dit Ellie en levant vers le ciel un regard accusateur. Princesse dit la même chose. Ne tendez jamais votre visage à la lune quand elle est pleine. Et *regardez-nous !* Nous sommes tous gris ; elle nous a complètement grisés... Je me sens toute drôle. (Elle se leva pas très stable sur ses jambes.) Il faut que je m'en aille. Harold m'attend peut-être — *peut-être.* Bonne nuit, cher Johnny. Vous ressemblez à un bel ogre au clair de lune. Vos dents sont toutes luisantes.

Elle passa une main sur le mur de la cabane, suivant les contours d'un bouquet de coquillages.

— Tout ceci est l'œuvre de Sibyl Anstey, hein, Johnny ? Oui, je sais que vous l'avez beaucoup aidée. Nous avons tous contribué à les rassembler. Louis a construit cette mignonne petite maison pour elle. N'est-ce pas Johnny ?

— Oui, c'est vrai, mais elle n'a rien de mignon, dit-il sèchement.

La voyant démontée je me hâtai d'intervenir pour lui donner le temps de se ressaisir.

— C'est une œuvre d'art, affirmai-je.

— Oui, n'est-ce pas, enchérit-il. Vous pouvez la considérer comme un bijou, mais elle est très solide et parfaitement bien conçue à l'intérieur.

— Habitait-elle ici tout le temps ?

— Non. Elle couchait là-haut sous l'aile de Staycie, mais Louis allait la chercher tous les matins et il la ramenait le soir. Elle était heureuse ainsi.

Il sourit en regardant ses mains étalées sur le vêtement bleu posé sur ses genoux. Il avait de grandes mains efficaces avec des doigts spatulés à l'extrémité. C'est alors que je reconnus soudain la cape.

— Louis lui a fabriqué une sorte de fauteuil monté

sur des échasses pour qu'elle puisse faire ses incrustations de coquillages, dit Ellie. Elle semblait toujours extrêmement affairée mais, chose bizarre, elle restait des heures durant étendue sur sa chaise longue, le regard fixé sur la mer.

— Quand même occupée, dis-je.

— Au fond d'elle-même vous voulez dire, occupée par ses pensées. Elle semblait en effet plongée dans des pensées profondes.

— En fait, intervint Johnny, cette délicieuse cabane est mon logis aussi longtemps que Maisie ne la réclamera pas. Je suis son locataire. Qui plus est, le loyer est inexistant. Avouez que j'ai bien de la chance.

— Ne viendra-t-elle pas ? demandai-je.

Je me dis que rien ne me surprendrait plus à présent. Maisie pouvait bien surgir et j'entendais déjà son exclamation ironique : « Oh ! te revoilà Rebecca. » Je l'évoquai en esprit vêtue d'une blouse blanche, un stéthoscope pendant sur sa formidable poitrine, ses mollets saillants, ses pieds chaussés de souliers à talons plats, sa silhouette athlétique, son visage coloré aux yeux brillants, au regard pénétrant.

— Il se peut qu'elle vienne un jour, dit-il. Je l'espère, mais je doute qu'elle en trouve le temps. Elle dirige le service de gynécologie d'un hôpital quelque part dans le Nord et elle a aussi une clientèle privée. Elle m'envoie des cartes postales de temps en temps.

— Et vous lui répondez ? s'enquit Ellie sur un ton sévère.

— Naturellement.

— Je me le demande. Sa grand-mère était tellement fière d'elle, ajouta-t-elle à mon adresse.

Une autre image jaillit inopinément dans mon esprit, une image née de ma mémoire cette fois et non de mon imagination : Maisie les joues en feu, les cheveux hérissés comme des fils de cuivre, la tête rejetée en arrière pour souffler sur une plume de faisan qui alla finalement se loger dans un bouquet de gui. Nous étions réunis la veille de Noël 1916 dans la grande cuisine de la maison de Mrs Jardine.

Ce que je venais d'apprendre semblait la suite logique de cette nuit de notre dernière rencontre malgré l'énorme fossé de temps et d'espace... une conséquence naturelle mais aussi phantasmagorique — et même légèrement sinistre.

Johnny avait pris sa guitare et il en pinçait les cordes d'un air absent, nous donnant ainsi congé, du moins je le pensais. Au moment de notre départ, il posa son regard sur moi et me dit simplement :

— Revenez.

Nous partîmes bras dessus bras dessous pas très stables sur nos jambes. A l'endroit où nos chemins divergeaient — le sien à travers la palmeraie, le mien vers les marches taillées dans le rocher — elle se retourna, agita le mouchoir de Johnny et murmura :

— Bonne nuit, mon cher amour, Dieu vous garde.

Puis laissant tomber son bras, elle ajouta d'une voix tremblante :

— Eh bien ! maintenant, vous le connaissez. Je savais que vous lui plairiez.

— Je ne vois pas ce qui peut vous le faire supposer.

— Oh ! je m'en suis rendu compte. D'abord, il vous a demandé de revenir.

— Simple formule de politesse parce que j'étais avec vous.

— Pas du tout. Il ne l'a jamais dit avant. Vous croyez peut-être que je vais le voir à tout bout de champ. Oui, je vous l'ai dit mais ce n'est pas exact. D'abord, Harold n'y tient pas. Il trouve que Johnny me perturbe. (Elle se tut et parut méditer.) D'ailleurs, reprit-elle, quand je suis avec lui, je ne puis surmonter ma stupide timidité avant d'avoir bu quelques verres et, après, je suis encore plus stupide.

— Je suis sûre qu'il a beaucoup d'affection pour vous.

— Vous le pensez vraiment ? Il peut être tellement... pas exactement méprisant, plutôt distant.

— C'est de l'autodéfense, sa manière à lui de surmonter son handicap.

C'était mon tour à présent de jouer les consolatrices.

— Vous avez peut-être raison. Il maintient ses distances pour que personne ne s'avise de lui témoigner de la pitié. Il est tellement fier. Oh ! la vie est parfois cruelle. (Elle s'assit sur un rocher et pressa le mouchoir de Johnny contre sa bouche.) Je l'adore. Parfois il me vient des pensées mauvaises ; ainsi je me réjouis presque qu'il soit tel qu'il est. Où serait-il ? Que ferait-il ? Il briserait les cœurs des femmes et se laisserait dévorer entre-temps. Les choses étant ce qu'elles sont, il est bien ancré.

Elle se dressa sur ses pieds, secoua sa jupe mais ne fit pas mine de vouloir me quitter.

— Je ne sais pas ce que je dis, reprit-elle. Ne faites pas attention. Nous sommes tous fous de lui — Staycie, Louis, moi... Il ne nous aime pas, mais peu nous importe.

— Et sa femme ?

— Vous voulez savoir si elle l'aime ? Eh bien ! je vais essayer d'être charitable. Elle a peut-être été blessée... Je me le demande mais elle n'en laissera jamais rien paraître. Elle n'a rien à l'intérieur si vous voyez ce que je veux dire. Elle est comme une boîte en étain — vous la secouez et quelque chose tinte — des pois chiches, des cacahuètes. Oh ! elle est très aimable, elle plaisante volontiers. Elle descend parfois pour prendre un bain de mer. De temps en temps, quand elle ne fait pas la foire avec ses amis ou qu'elle se repose de ses tangos et autres danses, nous organisons un bridge et nous passons une soirée agréable avec elle. Harold la défend ; il dit qu'elle a du cran et que Johnny ne lui témoigne aucune considération. Dans un sens elle a perdu sa place. Louis la remplace complètement auprès de Johnny. Personne d'autre n'a le droit de le toucher. Louis donnerait sa vie pour Johnny. Il ne parle pour ainsi dire jamais, il articule des syllabes et grommelle entre ses dents, mais il perçoit les moindres désirs de Johnny. Et pourtant, il chante merveilleusement. Il a une voix profonde, riche. Il m'arrive de l'entendre chanter la nuit au son de la guitare — des vieilles chansons des plantations. Alors je sais qu'ils sont heureux bien que les airs soient mélancoliques. (Elle s'assit de nouveau et prit sa tête dans ses mains.) La vie est triste maintenant, Anémone. Vous ne me croirez peut-être pas mais les choses ont bien *changé*. Tout a commencé en août 1914. Rien ne sera jamais plus comme avant. Le cœur du monde s'est brisé. Je l'ai dit un jour à Johnny ; il m'a répondu que c'était vrai et que, bientôt, les hommes naîtraient sans cœur et que ce serait une bonne chose. J'ai été hantée par cette pensée. C'est impossible n'est-ce pas ?

Je ne répondis pas ; une telle possibilité ne semblait que trop évidente. Se souvenant de ma situation, elle me passa un bras autour de la taille et enchaîna :

— Bien sûr que c'est impossible. D'ailleurs, il ne peut pas le croire lui-même. Il devait avoir le cafard — il est souvent terriblement déprimé. Ce n'est pas étonnant. Je crois que cette femme, cette Sybil, lui manque. Elle savait lui remonter le moral avec son intuition extraordinaire. Quelle personnalité ! Une splendide lutteuse, n'est-ce pas ? Elle luttait pour lui. Elle était décidée à le remettre sur ses pieds.

— Je n'en suis pas surprise. Il lui fallait toujours quelqu'un d'exceptionnel dans sa vie, un surhomme dont elle pouvait faire son propre surhomme.

— Vous voulez dire en le guérissant des déficiences qu'il pouvait avoir.

— Oui dans un sens.

— Par la prière, par l'imposition des mains ou d'autres pratiques de ce genre ?

— Non, pas du tout, par son influence, par le simple pouvoir de sa volonté.

Ellie réfléchit puis elle conclut sévèrement.

— Elle allait donc contre la volonté de Dieu.

Je me mis à rire.

— Ce n'est pas cela qui l'aurait gênée.

— Elle n'était pas chrétienne ?

— Non... en fait, elle aurait pu dire qu'elle l'était et le croire parfois, mais je pense que tous ses autels étaient païens.

— Vous êtes intelligente, dit Ellie après un silence. Je l'ai vu tout de suite.

— Je me rappelle très bien l'un de ses surhommes ; un sculpteur d'Afrique du Sud. Il a été tué. Un homme extraordinaire. Il l'avait laissée tomber tout de même. C'est ce qu'ils faisaient tous en fin de compte.

Elle resta songeuse.

— Johnny est merveilleux, dit-elle enfin. Il ne l'aurait pas quittée, pas dans ces circonstances, si c'est ce que vous entendez par laisser tomber. Il l'aimait sincèrement. Après sa mort, il a paru beaucoup plus apathique. Je les entendais rire ensemble quand ils jouaient aux échecs ou à d'autres jeux. C'était délicieux.

Je ne me rappelais pas l'avoir entendue rire autrefois. En fait, je ne l'avais jamais associée au rire ni d'ailleurs à l'absence de rire. Dans mon enfance le mot aurait évoqué des fous rires étouffés à l'église ou en classe ou bien les sons diaboliques provenant de la cuisine, notamment quand les jardiniers entraient pour casser la croûte vers onze heures pendant l'absence de leurs patrons ; des cascades de cris aigus ou tonitruants, des crises d'hilarité entremêlées de grondements de basse-taille, le tout évoquant le monde mystérieux et violent de la sexualité.

Mais les mots naïfs d'Ellie suggéraient l'idée d'une intimité d'une qualité particulière, d'un plaisir irremplaçable que j'avais connu moi aussi et dont j'étais privée à présent. Pour la première fois, je pus imaginer Mrs Jardine naturelle, dépouillée de son panache et de son abattage, se comportant comme n'importe quelle femme heureuse avec son amant et fraternelle avec les autres femmes heureuses.

Il me parut normal qu'Ellie ajoute avec compassion :

— La perte de cette petite-fille a du être une tragédie terrible. Je me demande si Staycie l'a aidée à la supporter. Je l'espère.

Je n'avais plus pensé à Cherry, pas consciemment du moins, depuis des années, ni d'ailleurs à aucune des autres victimes de cette catastrophe. Mais, à présent, elles revivaient toutes en moi. L'expérience, sa nature réelle me transperça comme un coup de couteau. Il est facile d'écarter ce qu'une sensibilité bornée ne peut percevoir : séparation brutale, remords déchirant, souffrance sans remède stoïquement endurée. Mais j'avais mûri et, cessant d'être une créature ailée appartenant à un domaine inaccessible à l'analyse attentive, Cherry revécut un moment dans mon esprit. Je la revis distinctement, assise dans son lit et faisant la lecture à Harry.

Ellie se mit à chantonner de sa voix rauque.

« Pauvre Butterfly — attendant sous les arbres en fleurs

« Pauvre Butterfly... elle l'aimait tant

« les *instants* se transformèrent en *heures*

« les *heures* se transformèrent en *jours*

« et elle soupirait encore

« La *lune* et moi... savons qu'*il* sera *fidèle*

« Je *sais* qu'il me reviendra bientôt. »

Elle s'interrompit brusquement.

— C'est assez, dit-elle. A demain, ma chérie. Venez chaque fois que vous en aurez envie. Vous serez toujours la bienvenue. Mais j'y pense, il est temps que je donne une petite fête. Faites attention il y a un gros crapaud-buffle qui s'installe parfois sur le sentier — une charmante petite bête. Ne l'écrasez pas. Bonne nuit.

Elle s'éloigna vivement et disparut dans l'ombre. Je restai assise, écoutant, observant. Les myriades de minuscules dynamos de la terre continuaient à vibrer secrètement, avec insistance. Les gémissements et les hurlements du gramophone s'étaient tus. Les coqs chantaient à la lune, les aboiements des chiens se répercutaient de colline en colline, à travers toutes les vallées. Les étoiles des Tropiques étaient si grosses et si basses qu'elles ne semblaient plus hors d'atteinte. Je cherchai des yeux le spectre du récif. Ses mouvements désordonnés et ses reculs menaçants avaient subi une métamorphose ; ils étaient devenus une danse inspirée, élastique, cadencée. On aurait dit qu'un dieu fantôme aux boucles de cristal retombant en cascades évoluait avec majesté, agitant des voiles pailletés pour cacher sa présence et la révéler. Le vent du large semblait porter un faible son, un scintillement devenu perceptible à l'oreille ou un murmure devenu l'essence de la lumière, ou le rire de créatures désincarnées — des êtres d'allégresse, bondissant avec les vagues, battant des mains de joie.

La lampe s'éteignit dans la cabane. Johnny avait été porté dans son lit. Je vis une haute silhouette se glisser dehors, accrocher quelque chose à une branche du cep marin, se détacher de son ombre, pousser la barque dans la mer. Louis fit quelques pas dans l'eau, monta dans le bateau, manœuvra les rames et s'éloigna du rivage. Il allait à la pêche.

Je faisais partie de l'élément flottant ancré dans un

monde sans tache, purgé de sortilèges, de charmes, de créatures humaines, de fantômes et de toutes choses mortellement nuisibles. Mon identité atrocement inacceptable ne me troublait plus ; je n'étais plus que lassitude pure, suprême étonnement. Le désert sans traces dans lequel j'étais tombée m'avait ramenée à la porte encastrée dans le mur du jardin. Pourtant, elle semblait inaccessible et si Mrs Jardine se trouvait derrière, ce n'était pas moi qu'elle attendait. Elle était devenue une statue, un monument de marbre élevé à l'imagination, à l'imagination active superposée à cet état idyllique dont elle avait rêvé — un mode de vie d'une simplicité arcadienne : des fruits à cueillir, du poisson à pêcher, toute une île comme jardin, tout un rivage à explorer pour ramener des coquillages, des primitifs à la peau noire pour la servir, la vénérer et, au cœur de tout cela, son précieux trésor, son Titan naufragé, le seul, l'unique, le héros de légende. Tel qu'il existait à l'âge d'or.

« Doux seigneur, vous me trompez !
Mon cher amour, je ne
le ferai pour rien au monde. »

Elle était morte à présent, reposant dans la paix et lui toujours captif. Ils ne pouvaient se tromper même s'ils l'avaient voulu...

Pourtant, pendant que je franchissais le barrage de phalènes, de lucioles, de cigales en jetant un dernier regard sur la cabane, j'eus l'impression que quelqu'un m'observait.

De temps en temps au milieu de la nuit un mélange de sons bizarres traversait la cloison de bois qui sépare la chambre austère de la visiteuse de celle de son voisin immédiat : pas étouffés, murmures entremêlés de volées de claques retentissantes. C'est Mr Bartholomew qui incite son antique charpente à se mettre en mouvement poussé par l'agitation et l'instabilité propres à l'extrême vieillesse ou peut-être par la crainte d'être surpris par la mort pendant son sommeil.

Mais pourquoi se bourre-t-il parfois le crâne de claques ? D'après Miss Stay, c'est sa façon personnelle de chasser les pensées pénibles, à moins qu'il ne se passe la fantaisie de jouer au roi des cow-boys.

Ce qu'il murmure, ce sont des fragments de poésie — une anthologie de vers et de strophes extraits de Shakespeare, Racine, Dante, Keats, Byron, Shelley, Wordsworth, pour n'en citer que quelques-uns. Il perd le fil, tape du pied, lance des jurons grossiers et recommence. Couchée sous la moustiquaire semblable à un voile de mariée, elle est parfois tentée de souffler un vers à voix haute, mais, plus souvent, elle se bouche les oreilles pour essayer de ne rien entendre ou bien elle envisage la possibilité d'user de violence. Finalement, après une séance de claques particulièrement prolongée, le couple qui occupe la chambre située de l'autre côté va se plaindre à Miss Stay. Celle-ci reçoit leurs doléances avec consternation mais sans surprise. Elle explique qu'il est sujet à des crises de ce genre, admet que ce voisinage est pénible et le bannit dans l'annexe avec Winkliff, l'aide jardinier, pour le surveiller. Elle lui interdit d'emmener Daisy comme il le voudrait et lui reproche de ne pas laisser un instant de répit à la pauvre bête. Pourtant Dieu sait si elle a besoin de repos. Il se garde bien de discuter mais, dès l'aube, il est debout, habillé et sorti. Il escalade les rochers pour gagner l'humble hangar de Daisy derrière le moulin à cacao. Il l'appelle avec des cajoleries et des caresses puis il la selle et la monte. Elle avance à pas lents et disparaît à la vue avec son bizarre fardeau. Ils gravissent la pente qui monte aux plantations et, au-delà, vers le cœur de l'île où l'herbe abonde, dit Miss Stay. Mais oui, mais oui, il la conduit vers de riches pâturages où, sous l'œil ravi de son amoureux et à l'abri du brûlant soleil de midi, elle déguste une provende savoureuse et reconstituante. Il arrive souvent qu'ils ne rentrent pas avant la tombée de la nuit et débouchent à l'horizon à une vitesse tout à fait honorable, Mr Bartholomew poussant des hourras et agitant son panama à la façon des cow-boys. Il met pied à terre avec un grand geste du bras. Daisy reprend son allure habituelle nonchalante et apathique.

Mr Bartholomew est le chouchou du personnel féminin qui, de temps en temps, lui tresse une splendide guirlande d'orchidées et d'hibiscus. Sur ses instances, Daisy en reçoit une aussi ; alors, impérieux et impatient, il réclame le photographe, c'est-à-dire Kit qui, toujours obligeant, se rend immédiatement à son appel ; quand il lui présente les résultats, il remarque joyeusement que c'est une perte de temps et un gaspillage de films, car M. Bartholomew est complètement aveugle et sûrement incapable de distinguer la curieuse image qu'il présente avec son long corps décharné contenu dans un costume de toile jadis élégant mais à présent élimé, passé et quatre fois trop grand pour lui, sa tête squelettique et sa barbiche mitée, son visage qui reflète à la fois la distinction intellectuelle et la déchéance, appuyé incongrument contre la tête inexpressive de Daisy ou contre sa croupe indifférente. Tantôt il la tient par le cou, tantôt il fait semblant de lui offrir une gâterie, mais toujours la photographie reflète un rapport de sentiment unilatéral. Et jamais il ne montre ces témoignages de ses passe-temps et de ses obsessions ; il les range dans un tiroir, le ferme et cache la clé. Si Miss Stay sait où elle se trouve ou connaît les secrets relatifs à son identité que ce tiroir recèle, elle ne le dit pas. Est-il célibataire ? Veuf ? Un personnage éminent qui fuit la vie ou en rupture de bans avec la loi ? Il ne reçoit jamais de lettres. Quand Miss Stay va une fois par mois à Port-d'Espagne pour ses soins de beauté (du moins elle le dit), elle perçoit pour lui un chèque substantiel. Alors, il distribue des pourboires au personnel avec une insouciante prodigalité, commande des caisses de rhum et de whisky et donne une réception nocturne dans la cuisine.

Ces soirs-là, Johnny est monté de sa cabane au milieu des acclamations enthousiastes. Les réjouissances commencent dans l'atmosphère de grâce et de courtoisie qui avait cours autrefois. Mr Bartholomew danse avec Miss Stay une valse classique aux sons de l'accordéon de Louis pendant que les membres du personnel tapent dans leurs mains et poussent des cris d'encouragement en cadence. Cependant, au bout d'une heure, l'ambiance se relâche ; Miss Stay fait une révérence à Mr Bartholomew, envoie des baisers à l'assistance et se retire. Et le groupe vire, tournoie et descend en dansant jusqu'au rivage où la fête se poursuit dans un abandon général. Un grand feu de bois et de branches de palmiers est allumé pour bannir les fantômes qui pourraient se dissimuler par-là. Johnny est installé sur la plus haute marche de son logis. Il boit beaucoup et joue de la guitare ou change les disques de danse sur son gramophone. Kit et Trevor descendent de leur bungalow pour venir le rejoindre. Ils donnent un air de joyeuse intimité à sa personnalité distante et imposante. Quand ils ne s'occupent pas de lui ils se mêlent au groupe et vont de l'un à l'autre distribuant des saluts, des étreintes et des baisers, ramassent du combustible pour le feu, empêchent les imprudents éméchés de s'approcher des flammes. Les Cunningham viennent prendre part à la fête. Après deux ou trois verres, l'humeur du capitaine s'adoucit et il ne lui faut qu'un peu d'encouragement pour le décider à chanter l'une ou l'autre des trois chansons de son répertoire. Des chansons saines, viriles, du temps passé. D'une voix de basse puissante sinon mélodieuse, il entonne *La danse florale* puis *Oncle Tom Cobley* et enfin un chant dont le refrain entraînant résonne bizarrement sur ce rivage romantique.

Chante ho ! Chante hé pour les joyeuses fi-illes
Leurs yeux luisent et bri-i-illent
Leurs yeux luisent et bri-i-illent
Mais comment vont-elles recevoir les galants-ants-
[*ants*
Allez, allez, essayez jeunes gens essayez jeunes gens-
[*ens-ens.*

Il salue et reçoit les applaudissements sans sourire.

— Posez-le, Monsieur, crie-t-il à Bobby qui émerge de l'eau avec un crabe accroché par une pince à sa lèvre.

Puis il s'en va sans ajouter un mot.

Mrs Cunningham reste. Elle raconte qu'en Malaisie ils chantaient des duos à tous les concerts locaux mais non, non, rien ne pourrait plus la décider à chanter en public. Cependant, elle se met dans l'ambiance et danse un tango très lascif avec Kit et Trevor avant d'aller s'asseoir aux pieds de Johnny. Il ne fait pas attention à elle.

Le couple du Lancashire qui vient de descendre à l'hôtel se promène tranquillement à la périphérie du cercle de lumière qui environne le feu. Anonyma le connaît pour avoir voyagé sur le même bananier. Un ancien brasseur d'affaires retraité, sourd comme un pot, un géant aux épaules voûtées, au corps brinque-balant, avec une peau parsemée de taches de rousseur et de mèches de cheveux roux. Sa compagne de voyage est sa secrétaire, une de ces femmes bien en chair, d'âge moyen qu'il est difficile d'imaginer sans vêtements, sans dentier et sans lorgnon. Sur le bateau, ils dansaient tous les soirs sans arrêt au son de l'orchestre.

— Savez-vous fredonner, demanda-t-il un soir à Anonyma. Gladys fredonne l'air et j'entends une sorte de bourdonnement dans mon oreille. Si vous pouviez fredonner, nous danserions ensemble.

Hélas, elle ne savait pas, mais elle accepta de boire un verre avec eux... Et voilà qu'ils dansent encore. A l'aspect des mâchoires de Gladys on devine qu'elle fredonne toujours ; un couple qui se suffit à lui-même avec des attaches solides. Sont-ils mariés ? Non. Sa femme est en cabane. Qu'importe ?

Le groupe commence à se disloquer. Princesse a depuis longtemps disparu dans l'ombre avec plusieurs compagnons. Peu habitué à l'alcool, Winkliff vacille sur ses jambes, complètement ivre. Il lève une main pour faire le salut scout. Bientôt il chancelle et perd connaissance. Il est relevé par Louis dont il est le petit-fils ou peut-être l'arrière-petit-fils et couché dans le fond de la cabane. Entourée par des anciens du village, Carlotta est restée dignement à l'écart de la foule turbulente, mais maintenant que l'assistance se disperse, elle se lève, prend le bras de son cavalier et se met à danser La Danse. Portant son corps obèse avec une grâce majestueuse, elle pivote lentement tenant d'une main ses amples jupons pendant que l'autre levée balance un mouchoir blanc. Son cavalier avance, recule, saute lentement tout autour d'elle dans un chassé entremêlé de bonds et d'entrechats. C'est un vétéran édenté et desséché qui, d'après la rumeur publique, aurait cent dix ans et se serait échappé de l'île du Diable longtemps auparavant. De temps à autre, elle se fige dans l'immobilité ; abaisse le mouchoir, balance sa croupe dans un mouvement lascif rituel qui fait onduler son corps des hanches aux genoux puis elle recommence à tourner avec majesté. Ils exécutent une danse nuptiale traditionnelle de l'île natale de Carlotta. Ses compagnons qui se gardent bien de se joindre à eux, participent néanmoins à l'action à une distance respectueuse avec des gestes suggestifs et d'autres variantes sur le thème principal confusément indiqué.

Le jeune Mr de Pas arrive dans sa Ford brinquebalante. Il s'arrête avec un crissement de pneus sur la terrasse qui surplombe la baie. Il s'annonce comme d'habitude par quatre coups de klaxon stridents — deux longs, deux courts — son signal de reconnaissance pour les initiés. Après une courte pause, il remet son moteur en marche et redémarre vers quelque destination inconnue : peut-être va-t-il chercher Jackie pour rouler avec elle toute la nuit par monts et par vaux au gré de sa fantaisie hors des sentiers battus, sur des pistes de jungle à peine tracées. Selon Miss Stay, ces courses nocturnes lui remettent les nerfs en place. Jackie doit les accepter comme un élément de son destin : récompense ou pénitence ? Qui peut le dire ?

Mr Bartholomew, dont l'équilibre est aussi bien souvent instable, joue son rôle d'hôte du commencement à la fin. Bouteille en main, il court de-ci de-là en criant « Servez-vous, mon vieux » ou murmure cérémonieusement « A votre santé ». Son abord habituellement mi-figue mi-raisin devient sincèrement aimable et, à part le premier toast qu'il a porté à Daisy dans la cuisine — A ma bien-aimée ! —, il semble avoir rejeté les chaînes qui l'attachent à elle. Le bénéfice de ces occasions qu'il a de se libérer dure quelque temps. Repris à l'essai dans son appartement il traverse l'une de ses phases de bon sens et passe des soirées tranquilles à lire à la lumière de la lampe avec une loupe. Des fragments de poésie continuent à s'échapper de sa bouche mais à intervalles plus éloignés et sur une note nostalgique, assourdie. « *Mainte île verte doit être... Cette obscure clarté qui tombe des étoiles... Ah à quoi bon la race qui détient le sceptre... Le vieux temps de juin... Sur la grande plaine grombolienne... Sur le seul arbre d'Arabie... Ainsi, nous n'irons plus errer à l'aventure... Les sanglots longs des violons.* »

Des mots comme ceux-là viennent effleurer l'oreille de la visiteuse.

Un jour en la croisant dans le couloir, il s'arrête, prend sa main dans la sienne qui est glacée, comparable à une pince. Il la regarde en silence, ses lunettes d'un noir impénétrable braquées sur son visage puis il murmure tendrement :

— Dites-moi votre nom... *Son doux nom espagnol.*

Un autre jour, il l'arrête pour gronder avec colère :

— *Elle se repent tous les jours sans jamais s'amender.*

Il ponctue sa phrase d'un ricanement sinistre. Pourquoi ? Qu'a-t-il pu vouloir dire ? Ne te tracasse pas. Je suis la protégée de Mrs Cunningham ; le petit rayon de soleil de Miss Stay. Et quoi encore ? La victime de l'implacable exploitation de Princesse en matière de cosmétiques (même les limes et les ciseaux à ongles ont disparu). Que suis-je encore ? La compagne de jeux de Kit et Trevor... Epuisée elle se laisse tomber sur le lit, laisse aller les derniers lambeaux de cette multiple identité factice puis, après une bienheureuse plongée dans l'inconscience, lentement, péniblement, elle se remet à la tisser à partir des pensées que lui suggèrent Kit et Trevor.

Ce sont des pensées inoffensives et même apaisantes. Ils lui ont ouvert leur bungalow bien équipé, leurs livres, leurs photographies et leurs disques, leurs essais de confection de chemises et de cravates en satin. Ils l'emmènent dans leur canot à moteur ; ils vont ensemble pique-niquer sur d'autres baies idylliques, nager, cueillir d'autres coquillages et d'autres branches de corail, regarder les pélicans plonger et replonger en quête de poissons, boire le lait aigre-doux des noix de coco vertes que Trevor fait tomber des cocotiers et ouvre avec son couteau, Kit la photographie une douzaine de fois. Compagnons charmants, à l'esprit inventif, toujours de bonne humeur sans une once de malice.

Les innombrables ressources de Kit, les talents domestiques de Trevor, leur mélange de raffinement et de simplicité contribuent à faire d'eux un couple inébranlablement fidèle (lui confient-ils) depuis qu'ils se connaissent, un jour peut-être ils retourneront en Angleterre pour un long séjour mais cette île est désormais leur patrie — climat délicieux, loin de la lutte pour la survie, occupés du matin au soir, se suffisant l'un à l'autre. Les liens familiaux bien que réduits sont puissants. Tous les deux ans, leurs mères veuves avançant en âge mais aux facultés intactes et les meilleures amies du monde, viennent passer un mois avec eux. Eux-mêmes frisent la cinquantaine mais ils préservent avec soin leurs hanches et leur torse juvénile. Cependant ils ont renoncé plus ou moins difficilement à leurs ambitions de jeunesse — Kit voulait exceller dans la carrière de danseur de ballet, Trevor dans celle de décorateur de théâtre. Ils se rappellent les étoiles avec lesquelles ils ont fait leurs débuts un peu comme ils se rappellent Sibyl Anstey : avec une nostalgie et un regret d'une qualité spéciale faite de respect, de romanesque et de cette humilité particulière à ceux qui sont destinés à se baisser pour ramasser la plume tombée et à jamais précieuse de l'aigle. Oh Sibyl Anstey, quelle personnalité ! — magnétique ; quelle brillante causeuse et, par-dessus tout, quelle beauté. Elle avait quelque chose de plus grand que la grandeur nature, une touche du monstre sacré — de Sarah Bernhardt par exemple — glorieuse espèce en voie de disparition. Quelle vie extraordinaire elle avait dû mener on le sentait... Non, ils n'avaient jamais entendu prononcer le nom de Jardine ; toujours Anstey, Sibyl Anstey — les indigènes l'appelaient Madame *Anstée*. Oui ils avaient beaucoup travaillé tous deux à la maison de coquillages sous sa supervision. Oui, ils avaient effectué la majeure partie du travail, mais c'était à leurs yeux un plaisir et un privilège. Elle avait conçu le plan d'ensemble. La maison n'était qu'une cabine de bain rudimentaire quand elle était arrivée. Elle l'avait fait agrandir et arranger pour qu'elle devienne habitable. Ensuite, l'idée lui vint de la décorer, d'en faire une œuvre d'art. En réalité, à l'origine, elle avait l'intention de l'offrir à Johnny ; elle savait que la natation lui était aussi salutaire physiquement que moralement. Et naturellement, il pourrait être seul dans ce logis ou seul avec elle. Elle l'adorait c'était évident. *Un grand prince est couché en prison*, avait-elle murmuré un jour en parlant de lui — une citation sans doute. Une autre fois, elle l'avait appelé son fils spirituel. Mais leurs relations ne ressemblaient pas à celles qu'entretiennent une mère et un fils. Comment Johnny réagissait-il ? Impossible de le savoir. Il tenait tout le monde à distance, redoutant sûrement la pitié, le pauvre ami. Ils le trouvaient tantôt vraiment très simple, tantôt extrêmement compliqué ; un volcan dangereux en puissance. Ce volcan risquait-il de devenir actif ? Qui savait à présent ce qui pourrait le réveiller. Il avait cultivé un détachement surhumain afin de survivre. *Pensez* à l'allure qu'il devait avoir en uniforme — les filles tombant comme des quilles, les garçons aussi. Je sais que je n'aurais pas résisté, dit Trevor avec un petit rire gêné. Il était difficile d'imaginer le milieu auquel Johnny appartenait avant la guerre — maison, famille, entourage. Il n'en parlait jamais. Il s'en était complètement coupé. Ils croyaient qu'il avait une sœur mariée et que ses parents étaient morts tous les deux. Et Jackie ? Que pensait Jackie des relations entre mère et fils spirituels ? Encore une question qui demeure sans réponse. Elle avait été beaucoup plus en vue quand Sibyl s'était installée dans l'île — l'une de ses dames d'honneur pour ainsi dire. Bien que son union avec Johnny n'ait jamais paru très harmonieuse, il semblait possible, avant l'arrivée de Sybil Anstey, de les considérer comme un couple uni par des liens d'affection solides. Il était beaucoup plus faible à l'époque ; elle était énergique, d'humeur égale, organisait la vie de son mari mais ne le tracassait pas. Du moins ils ne l'avaient jamais vu irrité. L'avait-elle aimé ? C'était peu probable — en tout cas il fallait espérer que non. Johnny ne pouvait plaire à tout le monde — certaines femmes préféraient un autre type d'homme : peut-être Jackie était-elle de celles-ci. Peu à peu avec l'envahissement de Sybil et les services de Louis qui était à sa dévotion nuit et jour, Jackie commença à s'effacer et à suivre sa propre voie. Tony de Pas et sa bande étaient plus à sa mesure. Goût bizarre mais chacun son goût. Johnny ne protestait pas. Personne ne pourrait jamais connaître ni deviner les sentiments de Johnny et nul n'oserait le questionner à ce sujet. Sa réserve était extraordinaire. Peut-être n'avait-il pas de cœur, suggéra-t-elle. Peut-être sa sensibilité n'était-elle pas développée ? Possible. Mais imaginez les exercices de discipline et d'adaptation qu'il avait été obligé de pratiquer.

Ils se rappelaient que Johnny et Maisie avaient remarquablement sympathisé. Maisie ? Oui, la petite-fille de Sibyl qui était venue soigner la vieille dame, était heureusement restée jusqu'à la mort de sa grand-mère. Kit fouille dans ses myriades de photographies ; il devait en avoir au moins une de Maisie. Aucune de Sibyl ? Non hélas ! Elle ne lui permettait jamais de la photographier. C'était fort regrettable étant donné la perfection de la charpente osseuse qui n'avait pas subi les atteintes de l'âge. Mais voici Maisie.

Incroyable ! Authentique Maisie, reconnaissable entre mille. La voici, à peine changée, peut-être un peu plus forte qu'autrefois, plantée dans l'eau jusqu'aux genoux dans un costume de bain noir classique, le cou entouré d'une guirlande de fleurs variées, la crinière flottant au vent. Chose stupéfiante, elle tient dans ses bras un bébé blanc nu et dodu coiffé d'un bonnet de coton. Une fille.

La guirlande que porte Maisie est enroulée autour d'elle, les liant l'une à l'autre et Maisie la regarde en riant de toutes ses dents blanches. La petite fille ne sourit pas, elle se raidit avec l'expression d'une créature terriblement en désaccord avec les circonstances.

— Qu'a donc l'enfant ?

Kit regarde et se met à rire.

— Oh oui, pauvre mioche, elle est sur le point de prendre sa première leçon de natation.

— Mais elle ne paraît pas plus de dix-huit mois.

— C'est exact. Maisie pensait que si elle la lançait dans l'eau, elle se mettrait à nager comme un jeune chiot avec des roucoulements de plaisir. *Elle* ne voyait pas les choses de cette façon. Bon Dieu ! quelle petite tigresse ! Mais elle ne faisait jamais de scène quand Sibyl se trouvait dans les parages. Elle barbotait au bord de l'eau comme une enfant de la mer. Inutile de dire que cela provoquait des bagarres. (A l'évocation de certains souvenirs, Kit rejeta la tête en arrière et se mit à rire.) La vieille dame raffolait de cette enfant. Sa dernière joie, disait-elle.

— Elle adorait les enfants ; mais à qui est-elle ?

— A Maisie naturellement.

— *A Maisie... ?* Est-ce possible ? Elle jurait qu'elle ne se marierait jamais. Qui a-t-elle épousé ?

Ils n'avaient jamais entendu parler d'un mari. Une enfant adoptée ? C'était assez conforme au caractère de Maisie. Oh non, c'était sa propre fille. Ils étaient convaincus que le docteur Maisie Thomson était une mère célibataire mais ce n'était pas leur affaire. D'ailleurs, il suffisait de voir la ressemblance, pas avec sa mère mais avec son arrière-grand-mère. Elle promettait d'être une beauté exceptionnelle.

Elle reprend la photographie et la scrute du regard pour chercher la ressemblance. Le bonnet de travers incliné sur l'œil augmente l'effet d'indignation passionnée, de volonté impérieuse. Une jambe grassouillette accrochée comme une pince autour de la taille solide de Maisie, pas dans un geste d'affection mais dans un mouvement de rejet. Malgré tous les facteurs qui obscurcissaient le fait, l'attitude générale évoque quelque chose de familier.

— Comment s'appelle-t-elle ?

Tanya, répondirent-ils. Des images et des sons complexes surgissent : la veille de Noël l'immense cuisine bien chaude de Mrs Jardine ; la voix de Maisie qui parle sans interruption, évoquant un fleuve français envahi par les herbes et les nénuphars et quelqu'un tombant dans l'eau, quelqu'un d'autre plongeant de la rive pour sauver la victime prise dans un enchevêtrement de roseaux et Mrs Jardine s'avançant, une remarque percutante sur les lèvres. Gil, un sculpteur, tué dans l'action, une fille inconnue qu'il avait épousée, nommée Tanya.

— Oui, je vois. Je comprends pourquoi Maisie l'a appelée Tanya.

Elle continue à fixer l'image du regard et entend presque la voix de Mrs Jardine dire de son ton le plus sec : « Maisie et sa fille ne s'accordent pas. » Etait-il possible que Maisie ait donné à Mrs Jardine sa dernière joie ? Une véritable descendante de sa chair et de son sang.

— Et elles étaient ici à ses derniers moments ?

— Oui, fort heureusement.

Ils pensaient que Sibyl avait fait venir le seul membre vivant de sa famille. Elle était devenue si frêle, presque transparente mais toujours douée d'une énergie indomptable. Maisie lui avait été d'un grand secours. Elle avait eu une fin parfaitement paisible. Son cœur s'était tout simplement arrêté de battre un matin.

Toutes les filles — Carlotta, Princesse, Adelina — étaient allées cueillir des brassées de lilas, d'orchidées, de jasmins, d'hibiscus, de frangipaniers pour lui confectionner un tapis de fleurs embaumées. Le lendemain, elles en avaient tissé un autre encore plus joli. Son visage était devenu lisse et beau comme celui d'une statuette d'ivoire. Louis et l'un de ses fils, tous deux des hommes de haute stature, avaient porté son cercueil jusqu'au cimetière au sommet de la colline. Tous les habitants du village l'avaient suivi en chantant des hymnes. En témoignage de leur respect et de leur chagrin, ils avaient revêtu leurs habits du dimanche les plus inimaginables y compris des chapeaux et des chaussures à talons hauts qui les faisaient affreusement souffrir.

Comme elle aurait été heureuse de cet hommage. Une apothéose !

Oui, c'était bien une apothéose ; un événement unique. Etrange, mais émouvant. Non, Johnny n'était pas allé aux funérailles. Ce soir-là, il avait pris à Maisie le dernier tapis de fleurs pour l'emporter dans la barque conduite par Louis et le lancer dans la mer. Fouillant encore dans ses photographies, Kit en sort une représentant la tombe de Mrs Jardine. Une simple stèle avec deux mots gravés SIBYL ANSTEY ; aucune date, conformément à ses instructions précises. La dalle de pierre locale sous laquelle elle git est entourée de fougères et d'arbustes en fleurs qu'il a plantés avec Trevor et qu'ils ont tous deux assumé la responsabilité de soigner. Désire-t-elle monter la voir avant de partir et apporter une photographie à Maisie ? Peut-être. Elle est prise d'un vif désir de retrouver Maisie. Le renouement de ces relations d'enfance ne pourrait-il être bénéfique ? Mais elle ne se voyait pas en train de confier ses problèmes et ses échecs à cette femme si bien établie dans une carrière enviable.

Elle imagine la rencontre : le cabinet du docteur Thomson :

— Je me demande si vous vous souvenez de moi. Rebecca Landon.

— Je ne sais trop. A moins que... Ah mais oui, grands dieux ! Jess et Rebecca, de bonnes petites filles, vêtues de tabliers pour les jeux de plein air, et qui devaient faire attention à ne pas déchirer leurs bas. Les souvenirs me reviennent.

— Vous rappelez-vous ce soir de Noël — quand nous sommes venues dîner ? Jess avait dansé toute la soirée avec — avec votre frère Malcolm, mais nous étions restées dans la cuisine à bavarder pendant des heures.

— Vous voulez dire que *je* parlais et que vous écoutiez. Je ne serais pas étonnée si vous aviez ouvert des yeux ronds, comme d'habitude. Oui, je me rappelle parfaitement cette soirée maintenant que vous l'évoquez, mais laissons ce sujet. Ils sont tous morts. Tous ceux qui étaient là. Jess vit toujours ? Enchantée de l'apprendre. Votre mère ?

— Oh oui. Elle se porte très bien.

— Merveilleux. Elle a été très bonne pour moi. Très *juste*. La justice était ma passion. Mais qu'est-ce qui vous amène ici ? Que puis-je faire pour vous ?

— Maisie, je viens vous demander conseil. Je me trouve à une sorte de croisée des chemins et je me demande... j'ai toujours eu envie d'être... médecin comme vous.

— Diable ! Qu'est-ce qui vous a mis cette idée dans la tête ? Vous n'êtes pas mariée ?

— Non.

— Nous en reparlerons. Pas d'enfants, je présume.

— Aucun.

— Nous reprendrons ce sujet plus tard. Vous vivez seule ?

— Pas toujours. Parfois.

— Vous avez donc un homme dans votre vie. Vous êtes heureuse.

— Je l'ai été — du moins je le croyais mais, à présent, tout est fini — en tout cas je le pense. Je ne suis pas sûre. Je veux changer de vie.

— Vous avez eu un emploi ?

— Plusieurs. J'ai travaillé dans une librairie et dans un magasin de décoration.

— Pas possible !

— Et je fais de temps en temps office de lectrice pour un éditeur.

Maisie se tait. Un pli se creuse entre ses sourcils.

— En somme, dit-elle enfin, vous n'êtes pas en état de prendre des décisions, c'est évident. Qu'est-ce qui vous a fait penser à tâter de la médecine ?

— C'est une profession qui m'intéresse. Je ne suis pas stupide, je travaillerai dur. Je ne suis pas trop vieille, n'est-ce pas ?

— Il faut voir les choses en face, mon petit. Vous n'êtes pas faite pour ce métier. La formation est longue et terriblement dure, vous ne la supporteriez jamais.

— C'est la psychiatrie qui m'attire en réalité... J'aimerais me spécialiser dans cette branche.

Le silence de Maisie est doctoral, intimidant.

— Je sais qu'il faut des années d'études, d'analyse.

— Et quand vous aurez fini, vous serez une toquée assommante. Excusez-moi d'être aussi brutale mais, si vous voulez mon avis, tenez-vous à l'écart de Freud et de tous les farceurs de son genre. Il y a des moyens beaucoup plus constructifs pour arriver à se connaître.

— Vous vous connaissez, vous ?

— Oui, je suis arrivée à me connaître après une longue et dure recherche. Mais c'est de vous qu'il est question. Pourquoi ne vous mariez-vous pas ?

Tout allait sortir, la triste histoire avec quelques bégaiements et des tentatives de désinvolture et des essais de jugements impartiaux et probablement des sanglots humiliants pour finir. Ensuite Maisie dit :

— Qu'est-ce qui a bien pu vous pousser à choisir un aussi triste sire. Bon, bon, il ne l'est pas, mais vous avez toujours été naïve. Ne pleurnichez pas... Bien, allez-y, pleurez mais mouchez-vous. Voilà qui est parfait. Passez tout par-dessus bord. C'est à mettre au rebut de toute façon. Et repartez à zéro. Je vous aiderai si je le peux bien sûr. Je suis très heureuse de vous revoir. Je vous aimais beaucoup au bon vieux temps, une époque qui est sortie de nos mémoires Dieu merci. Vous rappelez-vous ma grand-mère Sibyl ?

— Comme si je pouvais l'oublier !

— Hum... Elle ne passait pas inaperçue. Et maintenant, attendez-vous à une surprise.

— Une surprise de quel genre ?

— Vous ne devinerez jamais.

Tanya apparaît (je ne suis pas surprise), plantée sur ses deux jambes vigoureuses, réplique exacte de cette vieille photographie fanée trouvée dans un tiroir : Sibyl enfant dans une robe en tissu écossais avec d'adorables épaules nues, un visage angélique encadré de longs cheveux blond platine, des yeux bleu pâle, immenses, perçants, une bouche charnue grave, une ébauche de merveilleuse beauté.

Que va faire Tanya ? Froncer les sourcils ? se raidir, rugir ? Non. Après un rapide coup d'œil, elle court vers moi, pas vers Maisie qui remarque :

— Ça par exemple, je n'en reviens pas. C'est le coup de foudre.

Alors comme elle le faisait autrefois, elle raconte son histoire, l'histoire de la naissance de Tanya.

— Restez donc quelque temps, Rebecca, dit-elle enfin.

Une période heureuse s'ensuit. Je travaille avec Maisie, sous sa protection, tandis que l'enfant aux veines bleues et aux yeux de cristal oscille entre nous.

La scène est brusquement coupée comme toujours lorsque les images commencent à représenter des phantasmes inoffensifs dans lesquels l'esprit se complaît. Elle a peur de voir la tête d'Anonymo apparaître comme si elle sortait d'une trappe et l'observer avec une expression de froide curiosité qui semble vouloir dire :

« Est-elle achevée et, sinon, pourquoi pas ? » ou avec cette moue, ces narines frémissantes et ce sourire de triomphe dédaigneux qu'elle avait entrevu une fois une seconde. Il surgit n'importe quand — peut-être pendant qu'elle écoute les disques de Kit ou qu'elle regarde les expériences audacieuses de Trevor en matière de batik ou bien quand Miss Stay l'accueille sur la véranda des Cunningham en levant son verre : « Voici notre rêveuse. Notre romantique amie. A quoi peut-elle bien songer ? »

Alors, elle s'arrête, choquée par l'idée inquiétante que Miss Stay exerce malicieusement ses facultés paranormales ; elle avance en souriant, secouant la tête comme pour suggérer la nature romanesque secrète de ses pensées. Seul l'homme secoué de tics, le capitaine, paraît mal à l'aise. Il a des tiraillements dans la jambe ; il la scrute d'un regard farouche comme si sa vue le menaçait d'intolérables souvenirs de souffrances. Ils se font peur mutuellement : cette situation ne peut durer. Elle décide de lui manifester de l'intérêt. Sa femme observe cette tactique d'un air approbateur. C'est exactement ce qu'il lui faut : quelqu'un de cultivé qui sait écouter, car c'est un homme intelligent et il aime les échanges de vues intéressants.

Ainsi, à la lueur des lampes, pendant que les grands papillons frappent des ailes sur les volets et sous le regard vigilant de Joly, il devient expansif, s'étend sur le sujet de l'histoire militaire, déverse force verres de rhum dans sa gorge, s'adresse à Bobby avec tendresse et compassion, produit des photographies de la vie en Malaisie, les commente avec un grand luxe de détails ; un soir même, il l'initie patiemment aux mystères du bridge. Au cours de cette leçon, sa femme avait posé son ouvrage de couture et était allé se promener vers le rivage. Au tournant du chemin elle était restée immobile, figée dans l'attente comme Didon, projetant toute son âme vers la cabane. A son retour, il lui avait lancé des remarques et des regards acerbes et elle lui avait donné la réplique pour entrer dans son jeu.

Oh ! c'est une attendrissante épave de vieil ivrogne galant. Elle a parfois envie de le serrer dans ses bras. Comme le dit Miss Stay, c'est un vrai gentleman, l'incarnation même de la chevalerie. Il assommerait tout individu dont la conduite serait déplacée. La maman de Mrs Cunningham avait fait un bon choix pour sa fille bien-aimée.

Tandis que les jours passent, quand elle se regarde dans le miroir comme elle le fait avec une sorte d'obsession, elle commence à voir un visage inconnu ; il a pris une forme de cœur, avec des pommettes saillantes au-dessus de creux seyants, des yeux dilatés, brillants. Peut-elle se flétrir comme une jeune fille victorienne délaissée par son fiancé ? Elle peut à peine manger, elle a une douleur constante sous une côte inférieure comme si quelque chose était pris avec un crochet. Si elle continue ainsi, avec sa pâleur éthérée, son estomac creux, ses membres grêles, ses cheveux longs et décolorés par l'eau de mer, elle va devenir physiquement méconnaissable. Quel choc pour lui quand il apparaîtra car, bien qu'il n'ait ni télégraphié ni écrit, il apparaîtra sûrement. Il descendra d'un biplan loué spécialement... non, non, bien sûr que non. Il déteste l'avion. L'un des petits vapeurs qui fait la navette entre les îles le déposera un matin ou un soir.

Elle l'attendra sans bouger pendant qu'il s'avancera lentement vers elle, le visage pâle et tendu. Il retiendra son souffle et murmurera :

— Il fallait que je vienne. Tu m'as manqué jour et nuit. Est-ce vraiment toi ? Comme tu as changé.

— Oui, j'ai changé. Tu viens trop tard.

— Trop tard ? Tu veux dire que tu ne peux pas me pardonner ?

— Je veux dire que je ne t'aime plus.

Le croira-t-il ? Non. Il est trop infatué de sa personne. Suit une scène pénible au terme de laquelle, il s'éloigne, acceptant son congé. Un instant après, il revient, impérieux, passionné et refuse de croire qu'elle ne veut plus de lui, il fait jouer toutes les cordes.

Et puis... et puis ? La grande scène de la réconciliation ne se construit pas. Un élément étranger intervient sans cesse. Elle se sent entraînée dans un dialogue différent, engagée dans un échange de propos intimes, étincelants, caressants, magiques — *avec* Johnny.

Johnny grandit, l'autre diminue ; est-ce possible ? A point nommé, il descend dans son char comme un dieu d'opéra. Elle va s'asseoir à côté de lui et monter dans l'empyrée ; de là, elle regardera froidement tous les protagonistes jadis menaçants.

Sa tête commence à tourner. Elle saisit le bloc de papier à lettres sur lequel tant de lettres à Anonymo ont été ébauchées, commencées et jamais terminées et elle griffonne nerveusement les noms de ces deux hommes, elle les fixe du regard, les biffe violemment, recommence à écrire, s'arrête, arrache la feuille et la froisse. Il faut qu'elle s'en débarrasse. Elle enfile son maillot, s'enveloppe dans un peignoir de bain, court vers le rivage et entre dans l'eau. Quand elle a nagé loin et longtemps, elle desserre sa main, lâche le morceau de papier qu'elle contient, le déchire jusqu'à ce qu'il soit réduit à l'état de membrane déchiquetée, un objet tabou dépouillé de tout pouvoir.

Après, elle continue à nager, elle flotte, elle glisse nonchalamment à travers l'eau bleue transparente, s'imaginant un spécimen d'une espèce de l'ordre marin de la création, se propulsant à un rythme languissant, insouciante, purifiée de toutes traces de sentiments humains, n'attendant rien ni personne, n'étant attendue nulle part et par personne. Une image continue à l'attacher à la terre : une cabane, un cep marin. Tout autour de cette image, planant, plongeant, agitant ses grandes ailes blanches, tournoie l'oiseau que l'on appelle en plaisantant l'esprit familier de Johnny à cause de sa présence constante et mystérieuse et de son comportement singulier : on dirait qu'il porte un message qu'il n'arrive jamais à transmettre. Où est Johnny ? Il est invisible. Pourtant il est là, au point mort, caché, puissant.

Pourquoi ne peut-elle l'approcher comme le fait Ellie ? — Ellie qui va le voir pour bavarder et prendre un verre presque chaque fois qu'elle en a envie et qui le contemple assise à ses pieds, les yeux vides, la bouche entrouverte — pauvre innocente frustrée, malade d'amour. Il répond avec bienveillance et bonne humeur, un peu comme un retriever en face d'un chiot caressant qui veut s'introduire dans ses bonnes grâces. Incarnation même de la bonté, Ellie encourage sa nouvelle amie à l'accompagner au cours de ces petites visites. Peut-être trouve-t-elle un soutien dans une autre présence féminine et elle est dans un tel état de transes quand elle se trouve devant Johnny qu'elle n'est plus capable d'observer ni de soupçonner l'intensité de l'intérêt qu'Anémone porte à l'objet de sa passion. Naturellement, il n'y a presque rien à observer. Presque rien mais, de temps en temps, on dirait qu'un courant électrique commence à vibrer en lui ; alors, ses sourires et ses coups d'œil indiquent quelque chose d'intermittent qui arrête les battements du cœur — lutte ? éclair de reconnaissance ? promesse ? timidement offerte et rapidement retirée.

Anémone est d'accord avec Ellie : il a tout simplement des manières parfaites.

Quand elle commence à émerger de l'eau, Phil et Madge, les deux infirmières blanches de Port-d'Espagne, plongent brusquement et la dépassent avec un grognement en guise de bonjour : elles avancent avec de grands mouvements de bras et de violents déplacements d'eau au niveau des mâchoires et des épaules. Phil est une grande fille dont le visage a la couleur et la consistance du blanc-manger. Madge est brune, maigre avec des yeux sombres et une bouche maussade, voluptueuse. Entièrement absorbées par leurs propres affaires, elles passent leur temps à se frictionner avec de l'huile et à se murmurer des confidences. Un jour, en les croisant, elle entend l'une remarquer avec un bâillement : « Hé ho ! je suppose que je suis volage. » Le soir, elles revêtent des robes de bal très ajustées avec des décolletés provocants et rejoignent la bande de Jackie sur la colline. Après une invitation, Mrs Cunningham les a définitivement rayées de sa liste. Elles ont affreusement mauvais genre et sont nymphomanes par-dessus le marché. Le capitaine n'approuve ni ne désapprouve mais on le voit observer leurs jeux aquatiques à la jumelle. Quant à Miss Stay, elle les considère comme des filles bien bâties et travailleuses qui méritent leurs vacances mais les mots « véritable régal » ne lui échappent pas à propos de leurs charmes ; une ou deux fois leur bruyant passage dans ses locaux l'amène à faire une réflexion d'ordre général sur le déclin de la courtoisie et des bonnes manières d'antan.

Une nuit, Anonyma a un rêve pénible. Elle est dans une salle d'hôpital dirigée par Phil et Madge ; elle a laissé tomber une tasse de lait. Elles passent précipitamment devant elle en disant : « Ramassez-la vous-même, nettoyez vous-même, nous avons affaire dans la salle des hommes ; impossible de nous occuper de vous. » Elle se réveille, sérieusement déprimée.

— Elles me détestent, dit-elle plus tard à Ellie. Pourquoi ? Elles ne pensent tout de même pas que je leur fais concurrence.

— Ne vous tracassez donc pas, ma chérie, dit Ellie. Traitez-les avec mépris. Elles détestent naturellement toutes les femmes qui ont de la classe pour ne pas parler de beauté. J'aimerais les voir essayer de séduire Johnny, elles en seraient pour leur frais.

En fait, elles évitent le voisinage de Johnny, décidant sans doute qu'il n'offre aucun intérêt sur le plan sexuel et ne mérite donc pas une seconde d'attention. Un jour où Ellie les dénigre devant lui, il hausse un sourcil et déclare qu'il ne les a pas remarquées.

Princesse les déteste cordialement.

— Elles ne rient pas franchement, dit-elle, et leur figure est toute tordue.

Elle imite leur air dédaigneux et éclate de rire. C'est vrai qu'on ne les voit jamais rire ni même sourire. Ce sont de cruelles harpies et leur visage de pierre est le symbole du monde inhumain des prédateurs.

Le jeune Mr de Pas a un jour la fantaisie d'organiser une excursion dans son canot à moteur pour célébrer l'anniversaire de Phil, une expédition de pêche, un barbecue dans la baie de la Tortue au-delà de la pointe. Jackie joue le rôle d'hôtesse. Indispensables pour leurs talents de cuisiniers et leur habileté à faire du feu, Kit et Trevor sont de la partie. Le capitaine se fait un peu prier pour se joindre à la bande mais sa femme prétexte une migraine et demande qu'Anémone lui tienne compagnie. Elles passent toutes les deux une matinée paisible et se lavent mutuellement la tête avec un shampooing fait de jaune d'œuf battu dans du rhum, recette communiquée par la grand-mère de Miss Stay, célèbre en son temps pour l'éclat lustré de ses cheveux.

— Je la revois avec sa longue chevelure encore magnifique à soixante ans. Elle pouvait s'asseoir dessus.

Elles reconnurent qu'après le rinçage, leurs cheveux étaient plus souples et plus brillants. En outre ils avaient une amusante odeur de rhum.

— Harry va être émoustillé, dit Ellie.

Un peu plus tard, Miss Stay apparaît avec son paquet de tarots et se retire dans la chambre à coucher avec Ellie pour la lecture trimestrielle des cartes. Quand elle revient seule, Ellie, un pli au front, fredonne un de ses airs préférés et paraît distraite. Au bout d'un moment, elle remarque que les cartes ont tendance à être à double face ; il ne faut jamais tirer des conclusions hâtives.

— L'avenir ne contient jamais rien de certain, vous savez ; autrement nous n'aurions pas de libre arbitre, ce qui est le plus grand don que Dieu nous a octroyé. Staycie voit des *possibilités* — parfois agréables, parfois... le contraire. Il faut garder un esprit ouvert mais il vaut mieux être prudent qu'avoir des regrets.

Anonyma hasarde :

— A-t-elle vu une possibilité qui ne paraissait pas agréable ?

Elle prend son temps avant de répondre :

— L'avenir le dira. Un homme averti en vaut deux.

— On est souvent averti par une voix intérieure et on préfère ne pas l'entendre.

— C'est juste, soupire Ellie. Trop juste.

Bientôt elle entonne une sorte de complainte : « *La gitane m'a ave-e-ertie...* » puis elle lisse le pli de son front et observe :

— Quand on y réfléchit c'est l'une des chansons les plus tristes qui soient et pourtant on se tord de rire en l'entendant. Quelle énigme !

Miss Stay les rejoint pour boire son verre du soir. Ellie lui suggère de dire les cartes à Anémone mais la prophétesse répond d'un air évasif.

— Non pas encore, ma chérie. Mieux vaut attendre un peu.

Puis, percevant une sorte de consternation, elle récite :

— *Petit oiseau, attends encore un peu que tes ailes soient plus fortes.*

— Stavcie ne veut pas dire que vous n'êtes pas tout à fait... Il ne s'agit pas du plan mental, n'est-ce pas, Staycie ? demande Ellie d'un air de reproche.

— Non, non absolument pas. Elle est notre rayon de soleil.

— Je suis faible, je le sais, murmure Anémone.

— Non, non, seulement vous êtes un peu trop facilement troublée et qui peut s'en étonner ? Mais vous commencez à prendre plus d'assurance. Votre aura est plus lumineuse, elle prend une jolie teinte azurée. La force d'âme augmente jour après jour. C'est un plaisir à voir.

— Stavcie attache beaucoup d'importance à la force d'âme, n'est-ce pas, Stavcie ?

— Ah ! elle m'a été d'un grand secours.

Plaquant sa main sur sa bouche, elle lance ses jambes en l'air avec une exclamation étouffée.

— Dieu merci, le capitaine est absent, reprend-elle. Oh ! oui, mes amies, les épreuves m'ont aidée à conquérir la force d'âme. Je suis allée la puiser au fond de l'abîme.

Oui, c'est l'arme dont se sert Miss Stay pour lutter contre les vicissitudes de la vie. Elle a subi l'incendie, la tempête, les tremblements de terre et Dieu sait quoi pour la conquérir et maintenant, elle est complètement toquée mais solide comme un roc. Ancre et amarre de maint navire plus fragile (ha ! ha !), étoile des embarcations errantes, inébranlable à la fois dans sa tolérance et dans sa tendresse. Serait-il possible qu'elle soit une sorte d'ange déguisé ? Et bien que son corps torturé ait accepté le travesti, il se secoue tant il aspire à le rejeter pour la révéler radieuse avec ses ailes dorées comme dans les contes de fées et les vieilles légendes.

Avec un élan d'enthousiasme soudain et inexplicable, Anonyma murmure dans un souffle.

— Tout peut arriver.

— Que dites-vous ? demande Ellie.

Elle secoue la tête et rit. Miss Stay approuve cet accès de gaieté d'un signe de tête énergique.

Et que s'est-il passé ? A la fin de la journée, Anonyma reçut un présent de Johnny ! Le premier. Sans avertissement, Johnny s'était retourné comme si... comme s'il acceptait ou se rendait avec peut-être une pointe d'ironie dans le regard qu'il posait sur elle ; Johnny s'était retourné soudain et lui avait donné le goût de la joie. Un goût de joie pure, pénétrante, certaine, stupéfiante !

Que s'était-il passé ? Un plongeon tardif du bateau de Johnny à la lueur des étoiles et de la lanterne de Louis pendant qu'Ellie préparait le dîner dans la cabane. Il avait nagé très loin du cercle de lumière où elle évoluait tranquillement sous la lanterne. Et soudain, il était revenu. Il avançait avec des mouvements puissants ; ses larges épaules luisaient quand il était passé devant elle sans un mot, sans un regard. Puis brusquement, il s'était retourné pour nager vers elle, il l'avait prise dans ses bras et embrassée sans parler, sans sourire, un baiser humide, salé. Ils étaient restés joue contre joue un moment avant de se séparer. La barque s'approcha silencieuse, elle regagna le rivage, marcha sur le sable blanc pour aller s'habiller comme d'habitude derrière la cabane. Ensuite, elle rejoignit Ellie qui préparait la salade et poussa une exclamation d'horreur à la vue de ses cheveux trempés qu'elle venait de laver avec un shampooing fortifiant aux œufs et au rhum.

Elles sortirent et s'assirent sur le perron sous la lumière des deux lampes suspendues. Soudain, Ellie murmura en prenant une profonde inspiration :

— Regardez !

Johnny s'avançait vers elles, le bras autour de l'épaule de Louis qui le tenait par la taille. Il avait le corps droit et le pas ferme. Il s'était changé dans le bateau et portait une chemise bleue à col ouvert avec un pantalon de toile blanche.

— Vous voyez, il peut, souffla Ellie. Je savais qu'il pouvait. Oh ! il est magnifique. Mieux vaut ne pas avoir l'air de les observer, ajouta-t-elle en se levant pour regagner la cuisine.

Mais comme si c'était un fait quotidien ou peut-être un épisode de rêve, Anonyma courut à leur rencontre. Ils s'arrêtèrent et lui sourirent. Ils la dominaient par leur taille impressionnante. Leur sourire dévoilait des rangées parallèles de dents blanches et, dans les faisceaux de lumière projetés par les lampes, leurs yeux avaient le même reflet. Ils entrèrent dans l'ombre du cep marin où, sans un mot, Louis le laissa le dos calé contre un arbre et disparut dans la maison.

— Louis semble vous faire confiance, dit Johnny. C'est un grand compliment.

— Oui, vous êtes tout à fait en sécurité avec moi.

— C'est vrai ? demanda-t-il en riant.

— Vous ne tomberez pas.

— Non. Pourtant vous feriez mieux de vous approcher de moi.

Elle s'avança et ils s'enlacèrent.

— Vous semblez si extraordinaires, Louis et vous.

— En quoi sommes-nous extraordinaires ?

— Vous avez l'air d'être frères, pas des frères d'aujourd'hui, des frères d'un autre âge.

Il se remit à rire.

— Un genre de monstres jumeaux ? Peut-être le sommes-nous ? Vous sentez-vous en sécurité ?

Ils s'embrassèrent. La tête appuyée contre sa poitrine, elle remarqua pour la première fois qu'il portait un médaillon attaché à une longue chaîne en or.

— Johnny, murmura-t-elle, quelle surprise de vous voir marcher. J'ignorais. Du moins, je n'étais pas sûre mais je crois que je le savais.

— Evénement rarissime.

— Je vous aime, Johnny.

Il ne répondit pas mais couvrit son visage de baisers légers.

— Venez. Ne tentons pas la Providence, dit-il, et il marcha sans chanceler jusqu'à son logis.

Louis apparut sans bruit avec un fauteuil en bambou dans lequel Johnny se laissa tomber en disant :

— Un verre, Louis, et un pour la dame.

Quand Louis les eut servis, Johnny reprit :

— La démonstration n'était pas brillante mais elle peut encore s'améliorer. Vous vous demandez pourquoi je ne m'exerce pas davantage puisque je peux.

— Trop fatigant, suggéra-t-elle.

— Pas vraiment. Oui, un peu peut-être. Je ne prends pas de risques.

— Est-ce un secret ?

— Pour le moment.

— Qui est au courant ?... à part Louis et... moi maintenant ?

— Ellie sans doute, mais vous avez dû remarquer qu'elle préfère ignorer ce genre de faits.

— Ce n'est pas tout à fait exact. Elle n'ose pas regarder la réalité en face. Sans doute parce qu'elle y attache trop d'importance. Ou peut-être craint-elle

qu'un beau jour vous ne vous leviez pour partir définitivement. Et Miss Stay ?

— Oh ! Staycie m'a donné le premier élan. Du moins,
elle le croit. D'ailleurs, c'est vrai.

— Je croyais que c'était Mrs Jardine... Sibyl...

— Ah ! oui, dit-il d'un air évasif. Elle m'a encou-
ragé naturellement — à sa façon.

Il eut un bref éclat de rire.

— Votre femme sait ?

— Non, certainement pas.

Son sourire s'élargit mais il ressemblait plutôt à
une grimace. Il chercha une cigarette, l'alluma et
poursuivit lentement :

— Un jour, je gravirai cette colline et j'entrerai
dans ma maison. J'y mettrai peut-être le temps, mais
je le ferai.

Elle le regarda, stupéfaite par son expression, incapable de l'interpréter. Ses traits s'étaient légèrement
déformés et il paraissait presque laid. Puis ses étranges paupières en forme d'aile se soulevèrent ; il la
regarda de ses yeux clairs et froids et éclata de rire :

— Ne prenez pas cet air-là, dit-il. C'est ma maison,
que diable. C'est moi qui l'ai conçue et payée. Je suis
Ecossais, vous savez et, par conséquent, regardant. Je
veux en avoir pour mon argent. Mon agréable rési-
dence profite à une bande de canailles, de parasites et
de clochards. Je vais les mettre dehors à coups de
pieds un de ces jours. En tout cas, c'est bien mon
intention.

— Je n'ai vu votre maison que de loin, dit-elle prudemment.

— Et vous ne la verrez pas maintenant. Je ne vous
laisserai pas la toucher même avec une perche. Quelle
pitié ! C'est une maison charmante — ou plutôt elle
l'était. Je voudrais vous la montrer. Je voudrais que
vous l'habitiez. (Elle rougit de plaisir.) J'ai des instincts de propriétaire moyen, vous savez. Croyez-vous

que ce précieux cadre rococo me convienne ? ajouta-
t-il en jetant un regard par-dessus son épaule sur les
murs incrustés de coquillages.

— Je crois... ce n'est pas vraiment...

— Pas vraiment tout à fait *moi*, dit-il avec un
accent nasillard et traînant qui la fit rire. Je n'en suis
pas moins content de l'avoir, ajouta-t-il gravement.
Cette cabane a été un don du ciel. Un endroit où je
suis chez moi avec de l'espace autour de moi. Mais je
ne puis m'empêcher de me demander parfois ce que
je fais là.

— Vous ne voulez pas retourner en Angleterre ?

— Bien sûr que je le veux. J'aspire à rentrer mais
pas avant d'être... complètement indépendant, ce que
je ne suis pas comme vous le voyez.

— Vous le serez, Johnny.

Il haussa les épaules et fulmina avec impatience :

— *Aller de mieux en mieux chaque jour.* En réalité, je crois que je suis immobilisé pour la vie... Pourquoi me regardez-vous ainsi ?

— Vous me faites de la peine.

— Pauvre vous. Comme c'est pénible. Voilà une
chose qui m'est épargnée. Pas de cœur, pas de sensibilité. Vous voyez quel personnage déplaisant je suis.

— J'aime les personnages déplaisants.

— Je vous crois. Je crains en effet que vous ne les
aimiez. Quelque chose me dit que c'est là votre problème.

Le silence qui suivit créa une atmosphère d'intimité
et de tension. Il le rompit pour dire calmement :

— Non. Si j'en crois mes antennes, sans m'occuper
de ce que disent les journaux et nos sages politiciens
soi-disant éclairés, le monde devient aveugle et sourd.
Vous verrez que bientôt des millions de gens vont avoir
le mal du pays. S'il est impossible de changer quoi
que ce soit sur la face de la terre autant rester où
l'on est.

Il contempla la mer. Elle observa son profil.

— D'ailleurs, ajouta-t-il, je n'envisage pas de quitter Louis. Je lui suis attaché.

— Votre départ lui briserait le cœur.

— Oui. Louis a un cœur.

Louis reparut avec un plateau garni de fruits, de glace, de pots d'herbes aromatiques et de grands verres remplis jusqu'aux bords d'un liquide ambré. Ellie vint les rejoindre. Johnny la taquina et plaisanta avec elle comme d'habitude. La colère ou l'émotion qui l'avait submergé reflua si vite qu'Anonyma se demanda si elle n'avait pas rêvé qu'elle ressentait son impact écrasant.

Cependant, l'ambiance merveilleusement étrange continua à régner comme s'ils avaient été soulevés une heure dans une dimension moins dense ; comme si le Temps avait tracé un cercle autour d'eux, les isolant, à l'abri de son courant principal troublé et obstrué.

A un moment, en se levant pour prendre une cigarette qu'il lui offrait, elle se pencha pour souffler l'allumette et posa ses lèvres sur ses cheveux. Il allongea la main et tint la sienne un instant. Ellie ne remarqua rien.

— Quelle magnifique soirée, dit Ellie quand elles prirent enfin congé bien après minuit. Une merveilleuse soirée.

Mais pour Anonyma la soirée ne fait que commencer. Allongée sur son lit éclairé par deux bougies allumées sur sa table de chevet, elle pense à Johnny ; pendant qu'elle savoure encore avec étonnement le goût de la joie, elle voit une autre silhouette apparaître : Mrs Jardine est présente. Elle est revenue, elle se rapproche, semble observer attentivement juste derrière la moustiquaire ; visage pâle, yeux de saphir étincelants, enveloppée dans une cape bleue. L'enfant jadis préférée de Mrs Jardine se met à tournoyer d'un côté puis de l'autre à reculons dans une Salle des Miroirs, poursuivant des identités insaisissables. Comme le temps semble à la fois peuplé, vide, proche, éloigné entre le présent et les premiers pas de la candidate à la cueillette de primevères dans le monde du mythe et de la magie.

— Mrs Jardine !

L'apparition vacille et se dissout. La voix répond :

— Tu m'as appelée ?

— Moi ? Non. Oui, peut-être. Est-ce vraiment vous ?

— Qui veux-tu que ce soit ?

— Vous vous souvenez de moi ?

— Vaguement. L'image ne s'éclaire que faiblement quand tu m'appelles par ce nom. Ce n'est pas mon nom.

— Mrs Jardine n'est pas votre nom ?

— Non. Il a été rejeté.

— Sibyl ?

— Va pour Sibyl. Et toi, quel est ton nom ? Je n'en suis pas sûre.

— Je suis Rebecca.

— Ah ! oui, Rebecca, une enfant bizarre, un peu nigaude. Téméraire.

— Téméraire, moi ? A mes propres yeux j'ai toujours été le contraire. Timide, souvent craintive.

— Cela n'empêche pas... facilement impressionnée, influençable, oh ! je prévoyais un destin tourmenté pour toi.

— Comme le vôtre ?

Silence. Puis elle répond :

— Peut-être une similitude dans nos natures, oui. Il se peut que j'en ai eu conscience. Espérances extravagantes. Cela se paie. J'ai payé.

— Vous disiez que la vérité est votre passion dominante.

— L'ai-je dit ? Oui, c'est vrai. Tu aimes la vérité ?

— Oui, passionnément.

— Mais avec quel soin nous choisissons nos vérités. Avec quelle astuce nous les sélectionnons.

— Vos paroles semblent railleuses, dures. Vous me parliez autrement jadis : avec une conviction ardente. Oh ! j'ai vécu dans votre ombre un moment... ou dois-je dire dans votre lumière ? Je me croyais votre élue, votre confidente. J'étais votre esclave, votre messager.

Longue pause.

— Bien, bien, marmonne-t-elle. Bagatelles.

Mais sa voix tremble ; elle a perdu son ton de sèche autorité.

— Vous disiez alors que c'étaient des choses d'importance capitale. Vous avez oublié ? Vous préférez ne pas vous souvenir ?

Une autre longue pause.

— J'ai fait beaucoup de rêves, Rebecca. Tu jouais un rôle dedans. (La voix devient tendre, nostalgique.) Nous conspirions à rêver, ma chérie. Des choses aussi dangereuses doivent être rejetées quand nous nous dépouillons de notre corps.

— Alors, la mort est l'oubli ? Sommeil et oubli.

— Sottises, mon enfant. Avec qui parles-tu ?

— Mrs... le fantôme de Mrs Jardine, je suppose.

— Apprends à être plus précise. Je t'ai dit cela il y a longtemps. Pourquoi ris-tu ?

— Parce que c'est bien vous... vous n'avez pas changé. Vous étiez toujours tellement didactique... toujours en train de m'instruire.

— Tu avais des aptitudes.

— Maintenant vous avez repris votre air froid et moqueur. Est-ce que vous m'avez toujours trompée ?

— En quoi t'aurais-je trompée ?

— A propos de l'amour par exemple, à propos de l'indifférence que doit inspirer l'opinion du monde. Toutes les choses dont vous ne cessiez de parler. Je buvais chacune de vos paroles.

Nouveau silence. Puis la voix dit doucement :

— Oui, l'amour est tout. Je ne t'ai pas trompée, petite Rebecca — Mrs Jardine ne t'a pas trompée. Mais elle est devenue assez ténébreuse à certains égards. Des expériences malheureuses tu sais, de dures leçons — apprises — non apprises. Ne nous appesantissons pas trop sur elle. Elle n'était pas admirable en tout point.

— Je l'adorais.

— Tu étais une enfant attachante, je commence à te voir nettement à présent. Rebecca — la petite-fille de Laura avec quelque chose de Laura en elle.

— Vous le disiez. C'est pourquoi vous... je croyais que vous m'aimiez. C'est à cause d'elle que nous vous avons connue. La porte bleue encastrée dans le mur — elle s'est ouverte — nous sommes entrées. Quelle vie étroite et pot-au-feu nous menions à l'extérieur. Dedans, tout était enchanteur et avait un goût de miel.

La voix se met à murmurer comme en extase :

— Des enfants courant dans le jardin, jouant, riant — exactement ce dont je rêvais. Oh ! m'y voilà de nouveau. Je les vois. Chers petits. *Merveilleux.* Je pensais... peu importe. Un nuage se forme. Chagrin, chagrin.

La voix tremble, se brise, se tait puis reprend :

— Mais Laura, ta grand-mère, je l'aimais vraiment — je l'aime. Nous avons été en relation d'une façon ou d'une autre au cours de plusieurs de nos existences terrestres. Quand je me suis réveillée après ma mort, je l'ai trouvée à côté de moi pour m'accueillir. Elle me souriait avec affection, mais elle est partie très loin. Elle vient me voir de temps en temps ; elle répand sur moi la lumière et l'amour.

— Je vous en prie, demandez-lui de répandre la lumière sur moi.

— Je te le promets. La beauté de formes spirituelles comme la sienne est inimaginable. Tu ne pourrais les voir. Elles sont trop lumineuses pour toi.

— Mais pas pour vous, je suppose.

Un petit rire d'appréciation.

— Maintenant c'est toi qui te moques de moi. Eh bien !... quelquefois mes yeux s'ouvrent. J'ai des aperçus. Mais quand elle est venue à ma rencontre — à mon arrivée — elle s'est montrée sous sa forme d'autrefois. Vêtue d'une robe à crinoline que j'aimais particulièrement. Pour me rassurer.

— Vous aimiez un homme appelé **Paul**.

— Oui, oui... Paul. Mais il n'est pas pour toi.

— Bien sûr que non ! Il est mort il y a longtemps... avant ma naissance. Vous ne pouvez être encore possessive à ce point ? Seriez-vous jalouse des morts ?

— Jalouse ? Non, en vérité. Les morts ? Je *vois* que je dois m'y prendre lentement avec toi. Tu es très arriérée, stupide en fait. Je voulais te mettre en garde contre des êtres comme lui, les despotes, les destructeurs.

— Voilà des paroles qui me rappellent celle que vous étiez, Mrs Jardine, puisque vous semblez faire une distinction incompréhensible pour moi entre Mrs Jardine et...

— Sibyl. Oui, c'est déroutant et, comme je le disais, tu es plutôt sotte. Cependant, j'admets que je n'y vois pas très clair moi-même. Je sais simplement que Sibyl est mon vrai nom. C'est Sibyl que connaissent ma chère Laura et Paul.

— Vous êtes avec lui, alors ?

— Nous avons été réunis. Il y avait beaucoup à démêler, à défaire. Des tourments de refoulement à rejeter mais rien ne se perd, Rebecca, aucun élément de l'amour n'est perdu.

— Alors Harry lui aussi est avec vous ?

Une autre pause.

— Cher Harry. Nous nous sommes rencontrés bien sûr mais, non, nous ne sommes pas ensemble. Harry est allé à sa place comme nous le faisons tous.

— Je me souviens de lui. Et Cherry ?

— Ah ! Cherry, mon tout petit — quelle joie. Une joie incroyable ! Rires, larmes de joie. Larmes et rires mêlés. Sa main dans celle de Harry encore une fois. Voyages miraculeux — au cœur même de la terre, dans les profondeurs scintillantes des lits de l'océan, dans d'étranges pays de l'air. Nourris par les sonorités divines, par les essences de la lumière et de la couleur. Oh ! expériences ineffables.

— Ce sont les vôtres aussi ?

— Non, pas les miennes. Je suis encore trop... je n'ai rien d'Ariel mais j'ai des nouvelles d'eux, de mes esprits délicats, jamais à l'aise dans votre atmosphère dense. L'*un* s'est envolé prématurément, l'autre a été condamné à rester en arrière. Un fantôme vidé de toute substance. Ses pieds légers n'ont pas laissé de trace dans le monde, pas même celles du sang qui s'écoulait de leurs blessures. Je perçois les pensées qui se pressent dans ta tête. Condamné comment, par qui ? te demandes-tu. Peut-être est-il resté pour payer une dette ancienne — qu'il a *choisi* de payer. Son silence a continué à me protéger, un voile de silence dans lequel je me suis glissée *pour entendre le coup retentir* quand son cœur s'est brisé, c'est moi qui l'ai brisé.

— Que voulez-vous dire ? Quel coup ?

— Un coup accidentel — par un après-midi ensoleillé. Essai d'expérience, caprice, impulsion animale... appelle-le comme tu voudras. J'ai abattu l'amour en plein ciel ; il est tombé, tombé comme un oiseau mort. Fini.

— Vous voulez dire... que vous avez été infidèle.

— Oui, c'est ce que je voulais dire.

— Paul ?

— Non, sottise, rien de ce genre. Cela, c'était incorruptible. Nous l'avons fait en dépit de tout. Non, non juste un passant auquel j'ai fait signe — ou qui m'a fait signe — qu'importe que ce soit l'un ou l'autre ? *Hé ! beau chasseur !* Voilà tout.

— Harry n'a pas pu vous pardonner ?

— Harry — *a dû constater* ce qu'il n'aurait jamais imaginé : que je pouvais être vile. Ce fut un choc qui a tué notre mariage. Il me vénérait, vois-tu. La vénération vient avant une chute. Cependant, après la... découverte, il a continué à me protéger. Harry était un parfait gentleman.

— C'est ce que vous m'avez toujours dit.

La lueur reconnaissable dans les pupilles, les doigts tambourinant, la façon de parler théâtrale...

— Nous avons formé un couple chaste pour le reste de notre vie conjugale. (La voix s'éleva passionnément impérative.) Mais Harry n'a pas été détruit, quoi que les mauvaises langues aient pu raconter. Je les entendais, je voyais les moues méprisantes. Je n'étais ni sourde ni aveugle. Son esprit est demeuré intact. C'était là ma consolation.

— A-t-il cessé de vous aimer ?

Après un silence, une voix tout à fait inconnue répondit posément, calmement.

— Je crois qu'il n'a pas cessé. L'amour est résistant, tu sais. Mais il n'avait plus de tendresse pour moi. C'est pénible pour l'amour-propre. Enfin, c'est une vieille histoire. Nous nous sommes pardonné mutuellement, nous avons suivi chacun notre route.

— Mutuellement ?

— Oui.

— Pourquoi celui qui a été trahi aurait-il besoin de pardon ?

Une sorte de rire retentit — un son grinçant.

— Je me rappelle une enfant aux principes moraux quelque peu simplistes. Je m'en émerveillais parfois. Oh, j'avais conscience d'être coriace pour des êtres comme elle. Mais je me disais que les innocents ont une capacité de digestion phénoménale.

— Alors vous avez eu des remords ?

Nouvel éclat de rire.

— Non, je n'en ai pas eu. La femme dont tu te souviens n'avait pas de remords. Alors, ajouta-t-elle vivement, les questions de trahison, de pardon te troublent à présent ?

— Elles me torturent. Aidez-moi. Ayez pitié de moi.

— J'ai pitié de toi, pauvre enfant. Je doute de pouvoir t'aider.

— Que dois-je faire ? Comment puis-je vivre ainsi, en exil, dans l'attente ? Ne puis-je être aimée ? Dans ce cas, comment puis-je supporter de vivre ? Je ne le peux pas.

— C'est ce que tu aurais pu dire hier. Ce soir la vie est plus que supportable, n'est-ce pas ? Sois sincère ?

— Est-ce possible. Oui, c'est vrai. Mais qu'est-il arrivé ? Que va-t-il se passer ?

— Je ne peux pas te le dire.

— Pourquoi êtes-vous revenue ?

Pas de réponse.

— Depuis que je suis ici, j'ai eu de temps en temps l'impression de vous voir.

— Vraiment. Qu'est-ce qui te le fait croire ?

— Vous savez pourquoi... Dans votre cape bleue.

— Oh, ma cape bleue. Elle le couvre.

— Et vous veillez — comme vous le faisiez autrefois, m'a-t-on dit. Vous me surveillez je suppose.

Silence. Puis elle dit enfin :

— Il ne peut t'aider. Ote-toi cette idée de la tête. Ne compte pas qu'il répondra à tes sentiments.

— Comme si je le pouvais.

— Eh bien, nous verrons.

— D'ailleurs, il m'a déjà aidée. Elle s'est tue la voix qui ne cessait de me murmurer à l'oreille : « Mets fin à tes jours. »

— Je le sais. Comme tu le regretterais si tu avais réussi. Rien — moins que rien — ne serait résolu. Tout serait à refaire. Une erreur grossière. Je le lui ai dit plus d'une fois. Tu avais de bons instincts jadis, Rebecca. Ils t'ont sûrement dit que la vie continuait — implacablement même. J'entends tes pensées — arrogantes, regroupant les défenses de ton scepticisme, faisant appel à ton nihilisme intellectuel.

— Non, pas cela.

— A ta stupidité alors si tu préfères. Jadis tu avais de l'imagination. Tu l'as laissé s'atrophier. Réveille-toi, Rebecca. Oui, je t'appelle par ton nom. *Réveille-toi, Rebecca.*

— Oui, je dois me réveiller. Ceci est un autre rêve mais pas un mauvais rêve. D'où peut-il venir ? Certains de mes rêves me brûlent, me souillent, me griffent — monstres de l'abîme. Celui-ci est tout différent. Pourtant je ne suis pas encore sûre que vous me vouliez du bien. Pourquoi n'ai-je pas peur de vous ? Il y a longtemps vous m'êtes apparue dans un songe qui m'a terrifiée. A présent, vous avez perdu votre pouvoir. Pardonnez-moi mais il me semble que j'ai pitié de vous. Etes-vous — excusez cette question si elle est naïve et maladroite — êtes-vous une âme en peine ?

Silence. Un léger rire. Silence.

— Pas exactement mais l'amour, les sentiments nous attirent encore vers la terre. Les pensées dirigées vers nous, les pensées fortes, pressantes vont nous chercher, nous appellent, nous touchent. Nous sommes reliés, nous répondons. C'est la loi de l'amour.

— De la haine aussi.

— Ne parlons pas de haine.

— Allons-nous parler de Ianthe ?

— Ma fille. Non, non, ne parlons pas d'elle.

— Pauvre Sibyl. Vous appelle-t-il ? Vous savez à qui je fais allusion ?

Une pause. Un soupir. Pas de réponse.

— Pouvez-vous l'aider ?

Un silence, puis quelques paroles indistinctes

parmi lesquelles seuls les mots « mon châtiment... » étaient compréhensibles.

— Il ne veut pas de votre aide ?

— Il ne veut pas être sauvé.

— Que voulez-vous dire ?

— Nous verrons.

Quelque chose d'indéfinissable, ressemblant à une sorte de tentacule, apparut.

— Prions, Rebecca, nous devons prier.

— Je ne prie pas. Vous priez, *vous* ? Voilà qui semble étrange.

— J'apprends, murmura une voix humble.

— Parler à Dieu ! Je ne puis l'imaginer. Je ne veux pas apprendre.

— Qu'est-ce donc que tu veux, Rebecca. Ah, je sais ! Inutile de prétendre le contraire, de protester. Tu veux un amant.

— Pas *n'importe quel* amant. Je ne suis pas comme vous — une femme facile.

— Revenir aux temps des roses, voilà ce que tu veux. Attendre dévêtue, baignée, parfumée, les cheveux épars, prête à réaliser je ne sais quelles folles espérances ! Pas seulement la volupté, dis-tu, pas seulement le plaisir érotique. Non, bien sûr que non. Soyons franches, explicites. Moi aussi je préférais la réserve, je détestais l'impudeur, je rejetais les mots crus et grossiers. Naturellement ce n'est qu'une partie de ce que tu désires. Tu aspires à te dire : « Je suis un être précieux, choisie entre toutes les autres femmes... », osant à peine le croire mais l'admettant si facilement et si vite. Tu croyais avoir connu l'amour avant ; *il* le croyait aussi. Mais l'expérience passée n'était qu'amourette de collégien, ceci c'est l'amour vrai, unique dans une vie. Chacun de vous est l'étoile brillante particulière de l'autre, fixée dans le firmament. Ah, et avec quelle facilité vous condescendez, de vos hauteurs galaxiques, à témoigner votre gratitude à ceux qui ont moins de chance pour des services autrefois considérés comme dus, à écouter patiemment les importuns, à être respectueux à l'égard des parents et autres gêneurs généralement délaissés. Imprenables dans votre lumineux cocon, vous volez dans un espoir sûr et certain pour répondre aux clochettes reconnaissables : la voix au téléphone qui n'a pas besoin de se nommer, le courrier qui apporte la lettre dont l'enveloppe seule provoque une accélération des battements du cœur causée par le mystère de l'écriture familière.

— La lettre, oui ! Où est-elle ? Quand viendra-t-elle ? Que dira-t-elle ? A-t-elle été perdue ? interceptée ? mal adressée ? Est-ce que je l'attends ici dans ces limbes insupportables ? Comment oserai-je l'ouvrir ? Vais-je la déchirer sans l'avoir lue ? Dois-je repartir sans l'avoir reçue ? Tout sera-t-il comme avant ? Télégraphierai-je *Je rentre, viens m'attendre* et le retrouverai-je avec le même visage ou avec une expression changée, penaude ? arrogante ? circonspecte ? hostile ? *Un étranger au visage d'assassin ?*

— Allons, calme-toi. Je ne dis pas la bonne aventure. Je ne puis lire dans ton avenir. D'ailleurs, cet homme n'est pas important.

— Voilà que vous êtes en contradiction avec vous-même. Comme d'habitude. Vous êtes méchante, insensible. Mon père l'a toujours dit. Vous m'affirmez que l'amour est tout et, ensuite, vous haussez les épaules. L'amour me consume, vous dis-je. J'en suis malade. Je dois mourir.

— Sottises. Tu ne mourras pas. *Les hommes meurent et les vers les rongent...* tu connais la suite.

— Eh bien alors, je ferai ce que l'on m'a conseillé. J'aurai confiance dans mon malheur et il m'arrivera un grand bonheur. Il m'arrivera un grand bonheur ! Je l'ai décidé : je ferai de ces mots mon pain quotidien. Quoi qu'il dise, *quoi qu'il fasse*, je continuerai à avoir confiance en lui. Je croirai les promesses qu'il m'a faites, je croirai les promesses auxquelles il a failli, ses trahisons. Ainsi, je ne peux pas perdre. Je suis sûre de gagner, je suis sûre de... ?

Silence. Silence. Puis une voix claire, sentencieuse :

— Ta mère, maintenant, Rebecca. Une femme tellement charmante. Honnête, altruiste, détachée de ce monde, la loyauté même. Des principes moraux solides et pourtant tolérante. Une aide si précieuse autrefois avec cette difficile Maisie. Avancée en âge à présent mais en pleine possession de toutes ses facultés. Rentre chez toi et prends du repos. Entoure-toi d'innocence et de réconfort. Lait chaud, petit lit à une place, recouvert d'indienne, repas réguliers, soirées familiales et photographies. Quelle joie elle éprouverait.

— Non, elle n'aurait aucune joie. Ma seule présence la consternerait. Elle devinerait mon désarroi. Supposez que je craque et que je lui raconte, elle me donnerait des conseils terriblement sensés. Etrange mais vrai, la famille est la compagnie la plus cruelle dans une situation pénible. Elle vous force à retourner aux racines, et, ô, combien les racines tiraillent, menacent, blessent, rappellent les anciennes comparaisons, les culpabilités, les atavismes, le sentiment d'insécurité. Laide, jolie ; intelligente, stupide, méchante, bonne ; mauvaises notes, excellentes notes ; envieuse, égoïste ; jalouse ; déloyale ; désagréable ; injuste ; ta faute, ma faute, sa faute, leur faute ; préférée, détestée, solitaire, solitaire, échec, ECHEC...

— Eh bien, quel tableau macabre — hystérique, ridicule. Je n'ai pas eu de famille pour me dorloter — privation amère. J'ai essayé d'en fonder une mais je n'ai pas réussi — des êtres de ma chair et de mon sang à qui léguer mes trésors. *Mais attends — quelqu'un* est venu sur terre, ma véritable descendante juste au moment où je me préparais à quitter le monde. Faite à mon image et à ma ressemblance...

— Tanya ?

— Portant le don fatal de la beauté. Je vais veiller sur elle. Mais revenons-en à ton père. Il me croyait mauvaise, n'est-ce pas ? Il me croyait autre chose aussi dans sa jeunesse. Les jeunes gens ne détestent pas les mauvaises femmes. Nos chemins se sont croisés jadis — oh oui, ils se sont croisés. Mais quel bon chef de famille il est devenu plus tard, si soucieux de ses brebis.

— Il est mort. Je suppose que vous le savez.

L'impression que quelqu'un souriait d'un sourire ambigu.

— Oui. Nos chemins se sont croisés de nouveau mais rapidement. Je ne suis plus un objet d'anathème pour lui. L'humour nous a sauvés. (La voix prit un accent de passion.) Ah le bon vieux temps ! Panache et mélodrame ! Femmes tombées, perdues, déshonorées à jamais, qui auraient mieux fait de mourir. Oh c'était une époque passionnante, excitante ! Fumisterie indigne, cruauté abominable dans toutes les couches de la société. Comme nous étions insultées, humiliées, nous les femmes qui avions le courage de défier les conventions et de conquérir notre indépendance. Nous avons combattu pour gagner *votre* liberté. Ne l'oublie pas.

— Je ne l'oublierai pas, mais faut-il absolument que vous voyez si grinçante sur ce sujet ?

— Quel sujet ?

— L'émancipation des femmes et toutes ces histoires. Vous étiez tellement ennuyeuse.

Un frémissement, réaction de quelqu'un qui aurait été choqué ou blessé peut-être. La voix dit avec hésitation.

— Les jeunes sont... Etais-je vraiment ennuyeuse, grinçante ? Le monde que j'habite à présent est fluide.

On peut y revêtir des habits mis au rebut. Les souvenirs de la terre se déversent, les vieilles amertumes. Là où je suis maintenant ceux dont tu parles si dédaigneusement se libèrent de ces chaînes qui étaient si intolérables. Les chaînes de l'émancipation. Mais les souffrances, les dévouements, la fraternité dans la lutte désintéressée ne sont pas réduits à néant. Ils forment — comment dirais-je ? — une essence spirituelle qui les enveloppe, dans lesquels ils peuvent se baigner et guérir de leurs blessures graves. Tu es loin de leur niveau, Rebecca.

— Oh, j'en suis sûre. Je suis indigne, égoïste, préoccupée de ma personne. Loin de *votre* niveau aussi. Tout en bas de l'échelle.

Silence, un silence intrigué puis avec un accent interrogateur :

— Suis-je trop didactique ?

— Eh bien, vous continuez à l'être comme vous l'avez toujours été. Je me demande ce qui se passerait si je me moquais de vous. Quelqu'un l'a-t-il jamais fait ? (L'air commençait à se charger d'électricité.) Il vaut mieux être taquinée que vénérée, n'est-ce pas ? (La tension, l'agitation augmentaient.) Quelqu'un vous a-t-il aimée assez pour cela ?

— Oui, oh oui ! Et le rire ! rire ensemble. Nos âmes riaient ensemble.

— Cela vous manque ?

La voix se fit plus basse ; Anonyma se sentit soudain inondée de sueur en l'entendant prononcer avec un accent de triomphe :

— Bien que ma cape le couvre, je ne l'ai pas ôtée complètement. Voici une énigme pour toi ! *Mon ancienne dextérité en matière de sorcellerie* a disparu : j'ai lu cette phrase un jour, elle m'a plu. Pas disparue mon ancienne dextérité, oh que non. Ma beauté est revenue ! J'ai vécu pour la beauté — j'ai récolté ce que j'ai semé. Tous beaux mes amants ! — le dernier est le plus beau de tous. Tu ne peux pas le voir comme je le vois. Je le vois dans son corps sain et parfait. Nous sommes bien assortis pour la beauté. Il est à moi. A moi.

— *Vous êtes mauvaise, Mrs Jardine, mauvaise !*

Se dressant sur son lit, elle prononce ces mots à voix haute et, quoi qu'elle fût — hallucination, esprit, visiteur —, l'apparition s'efface avec un léger rire moqueur. Elle écarte la moustiquaire, court vers la fenêtre, ouvre les volets, se penche. Nuit, aucun signe d'aube. Dans une immensité indigo brillant, les grosses étoiles étincellent, tremblent, s'inclinent vers la terre comme pour écouter ses multiples vibrations. Grenouilles, cigales proches et lointaines, phalènes, lucioles en essaims scintillants.

Dans son hangar, Daisy frappe du sabot, une fois, deux fois. Son maître loufoque lui manquerait-il ? Il est absent pour la nuit, parti voir un vieil ami, le prêtre catholique qui habite de l'autre côté de l'île. C'est du moins ce que raconte Miss Stay. Cela semble improbable et pourtant, il a pris la voiture de la pension, vêtu par les soins de Miss Stay avec une élégance qui le rendait méconnaissable. Grâce au ciel, Phil et Madge sont absentes elles aussi, parties faire la fête avec le jeune Mr de Pas, Jackie et leur bande Dieu seul sait où. Miss Stay a décidé de coucher dans le bungalow avec Ellie pour le cas où le capitaine rentrerait tard — ou pas du tout. De la chambre du couple du Lancashire provient le son rassurant de ronflements réguliers.

Rien d'insolite ou de menaçant. Encore deux jours et je partirai de Port-d'Espagne en compagnie de Kit et de Trevor sur un navire de croisière allemand rapide et flambant neuf. L'une des mamans a eu une attaque. Les deux garçons doivent accourir à son chevet. Quelle chance ! Quoi qu'il arrive ensuite, pendant dix jours, je vais être choyée, comblée d'attentions, de boisson et de mots d'esprit.

Et je ne reverrai jamais Johnny.

Le vent de la nuit se lève soudain, exhalant un souffle parfumé qui s'éteint avec un son semblable à un long soupir.

Un fait surprenant se produit. Tout en bas dans l'immense puits d'obscurité et d'étoiles où se trouvent la cabane et le cep marin une lumière apparaît comme si un couvercle s'était ouvert pour découvrir un œil luisant qui la regarde fixement sans ciller. Johnny a allumé sa lampe.

Il appelle ?

La porte était ouverte. Elle entra et le trouva lisant allongé sur son lit encore habillé comme il l'était quand elle l'avait quitté.

— Anonyma, dit-il doucement.

— Vous m'attendiez ?

— Qu'avez-vous dans les cheveux. Venez ici. Asseyez-vous.

Il lui prit la main et l'attira près de son chevet.

— Des lucioles ! Deux-trois. Que c'est joli !

Il les écarta et elles tombèrent sur le sol, éteintes.

— M'en voulez-vous d'être venue sans y être invitée à une heure aussi compromettante ?

— Pas le moins du monde.

Toujours sa courtoisie habituelle. Que faire, à présent ? Que dire ?

— Pas de moustiquaire ?

— Inutile. Les moustiques semblent me fuir. Ou bien, les fantômes les effraient.

— J'aimerais bien qu'ils me fuient moi aussi. Mais il y a pire, une horrible chose invisible dans le sable. J'ai été assez sotte pour marcher sans sandales sur la plage les premiers jours et, mon Dieu ! mes pauvres pieds ! Ils me démangent encore.

— Vos pauvres pieds ! Quelle pitié ! Je crains que vous ne soyez un objet de convoitise pour les carnivores locaux.

Il reprit sa main, la retourna comme s'il l'examinait attentivement et la reposa.

— Les mains sont bien, commenta-t-il. De très jolies mains.

— Merci, murmura-t-elle un peu gênée puis elle demanda après un silence : — M'attendiez-vous ?

Il plaça un signet dans son livre et le ferma, jeta un rapide coup d'œil sur elle et détourna son regard.

— Eh bien... c'est très gentil, dit-il comme si c'était une constatation difficile à admettre, je désirais plutôt aller à vous mais je ne le pouvais pas ; alors...

— Vous êtes-vous endormi ?

— Non. Et vous ?

— Pas vraiment. J'ai regardé par la fenêtre et j'ai vu votre lumière. Je pensais à vous, alors j'ai décidé de venir.

Elle vit son visage se colorer brusquement ; elle se demanda avec étonnement : « Est-il capable de rougir ? » et elle reprit plus calmement :

— D'ailleurs, j'ai eu... une sorte de rêve tellement extraordinaire qu'il fallait que je vienne.

— Pourquoi pas ? dit-il en jetant un regard circulaire sur la pièce au mobilier rudimentaire. Le confort est restreint je le crains. Voulez-vous un fauteuil ? Une boisson ?

— Non merci, où est Louis ?

— Parti à la pêche. Votre rêve vous a-t-il effrayée ?

— Pas jusqu'au dernier épisode mais, alors, oui, beaucoup. Il se produit ici des choses bizarres, n'est-ce pas ? (Il l'interrogea du regard.) On a l'impression d'être entre deux mondes, poursuivit-elle gauchement ou à la frontière d'un autre où l'on pourrait entrer facilement. Et l'on entre ?

C'était une question mais il ne répondit pas. Elle continua :

— Je ne dormais pas et pourtant je n'étais pas réveillée. J'avais — j'ai cru avoir — une longue conversation avec quelqu'un.

Il haussa un sourcil.

— Vraiment ? Ce n'est pas très clair.

— Avec Mrs... avec Sibyl.

— Extrêmement déprimant.

Son visage et sa voix étaient impénétrables.

— Johnny, rêvez-vous ?

— A elle ? Non jamais. Ni à elle ni à personne. Je ne rêve jamais.

— Comment pouvez-vous vous empêcher de rêver ? Personne ne le peut.

— Oh oui, on le peut.

— Comment ?

— En restant éveillé.

— Est-ce ce que vous faites ? Vous ne dormez pas ?

— Très peu. Par intervalles. Des petits sommes. C'est bien suffisant. Je lis beaucoup. (Il prit le livre qu'il venait de poser.) L'histoire de Henry Esmond, dit-il avec un léger sourire. Très intéressant ! A vrai dire, je n'avais pas le goût inné de la lecture. Sibyl a entrepris mon éducation à partir de zéro, je dois l'admettre. La plupart de ces livres sont à elle, ajouta-t-il en désignant les rayons bien remplis qui couvraient tout un mur.

— Elle vous les a laissés ?

— Oui, elle me les a laissés.

Son ton restait réticent mais elle s'enhardit :

— Vous ne semblez pas tenir à parler d'elle.

— Pas vraiment. Pas... A quoi bon ?

Il semblait gêné, mal à l'aise.

— A quoi bon parce qu'elle est morte, vous voulez dire ?

— Oui, en partie.

Il poussa un soupir et mit son bras devant ses yeux comme un écolier exaspéré d'être harcelé de questions.

— Vous êtes fâché ?

— Non. Mais toute cette conversation est tellement fastidieuse. Elle n'en finit pas.

— Désolé, mon chéri.

Elle se pencha et l'embrassa sur la joue, voyant dans un éclair tout ce que dissimulaient sa politesse, son sourire aimable, ses attentions et ses plaisanteries, autant de murailles qu'il avait dressées autour de sa vie détruite. Si elles étaient abattues, il ne pourrait plus que bégayer.

— Inutile de prendre un air aussi contrit, dit-il. N'imaginez pas que le sujet de Sibyl soit trop sacré... ou trop pénible. Elle me manque bien sûr. Elle a été très bonne pour moi, mais c'est une longue, longue histoire... Je déteste les autopsies. Faut-il vraiment que nous parlions d'elle *maintenant* ?

— Bien sûr que non. Alors n'en parlons pas.

— Un autre jour peut-être. Nous avons tout le temps... ou bien n'aurions-nous plus le temps ?

— Vous voulez savoir combien de temps je resterai encore ici ?

— Je suppose que oui.

— Encore deux nuits. Après je partirai avec Kit et Trevor pour Port-d'Espagne où je prendrai le bateau.

— Pour l'Angleterre. Perspective enviable. Je ne comprends pas ce que vous faites ici. Pourquoi diable êtes-vous venue ?

— Je pourrais vous l'expliquer, tout au moins essayer mais ce serait une autre longue histoire que vous trouveriez certainement ennuyeuse. Elle n'a guère de sens même pour moi.

— J'ai cru comprendre que vous aviez eu un coup dur, dit-il poliment.

— Je suppose qu'Ellie vous l'a dit.

— Elle n'a rien dit de précis.

— Vous voulez dire qu'elle fredonne *Après la pluie le beau temps* quand mon nom est prononcé.

Il sourit et fit un signe de tête affirmatif.

— Je vais vous raconter l'histoire en deux mots, dit-elle. Je suis venue ou plutôt je comptais venir avec quelqu'un qui voulait partir loin de l'Angleterre. En fait, ce départ ensemble était la véritable raison de ce voyage. Il avait entendu parler de cette île et elle ressemblait à un paradis.

Elle s'interrompit. La grande confession paraissait terne et sans intérêt.

— Je vois, dit Johnny. Peut-être avait-il entendu parler de l'orchidée, celle qui ne pousse qu'ici. S'intéresse-t-il aux orchidées ? Je n'arrive pas à me représenter l'individu.

— Moi non plus ; c'est-à-dire je ne me le représente plus. Non, il ne s'intéresse pas aux orchidées. Il est écrivain : il avait l'intention d'écrire un livre sur les Caraïbes et il voulait brûler ses vaisseaux. Mais il a dû changer d'avis.

— Mais vous, vous n'avez pas changé d'avis ? demanda-t-il d'un air perplexe, impatient.

— Vous vous demandez pourquoi je suis venue seule. Je n'ai appris sa défection qu'une fois à bord. Le télégramme m'attendait dans ma cabine. Je ne savais ce que je devais faire. Je ne pouvais plus descendre du bateau : il était trop tard. D'ailleurs, je n'avais nulle part où aller. Je me suis enfermée dans ma cabine en prétextant que j'avais le mal de mer. Le troisième jour je lui ai envoyé une dépêche. Je ne me rappelle plus ce que j'ai écrit. Je croyais qu'il allait me suivre par le bateau suivant, ou prendre un avion. Quand je dis « je croyais », ce n'est pas le mot juste.

Je commençais à avoir peur ; les parois de ma cabine semblaient se resserrer sur moi et m'étouffer. Alors je suis montée sur le pont mais c'était pire. Je ne savais plus qui j'étais. Je me sentais prise de panique, personne ne semblait rien remarquer, chacun essayait de me faire participer aux jeux et aux distractions. Un colonel m'a même demandée en mariage. Je lui ai répondu que je n'étais pas ce qu'il croyait. Je voulais dire que j'étais une sorte d'automate, il a cru que je voulais lui faire comprendre que j'étais une grue et il m'a dit qu'il ne voulait pas le savoir. Il devait être dingue lui aussi.

Johnny lui lança un coup d'œil inquisiteur et esquissa un sourire.

— Oui, reprit-elle, je sais que c'est drôle. Voilà, c'est tout. Je suis ici. Je n'ai pas reçu un mot. Je repars. Que va-t-il se passer quand je serai de retour ? Je n'en ai pas la moindre idée.

— Vous avez un foyer ou une famille, je suppose.

— Ma mère habite toujours la vieille maison où je suis née. L'une de mes tantes qui est veuve vit avec elle. Elles se font du souci parce que je ne me marie pas. C'est à cause de cet homme que je ne me suis pas mariée. Mais je n'en dirai pas plus. Vous ne tenez pas à en entendre davantage sur lui, n'est-ce pas ?

— Pas spécialement, non.

Elle l'observa quelques instants, notant la forme bizarre de ses paupières, leur façon de s'ouvrir et de se fermer nonchalamment comme deux ailes frangées de noir.

— Je termine mon histoire. Quand mon père est mort, il nous a laissé à chacune un peu d'argent. Nous nous sommes associées l'une de mes sœurs et moi pour acheter une petite maison dans le Berkshire sur les dunes, mais cette sœur s'est mariée ; alors, maintenant la maison est à moi. Je la partage parfois avec une amie qui aime le jardinage ou bien je suis seule ou avec la personne dont nous ne voulons pas parler. Il a un appartement à Londres et c'est là que je suis souvent — ou plutôt que j'étais. Voilà, je crois que tout est dit.

Il resta un moment silencieux, les yeux fermés. Enfin, il dit d'une voix sans expression :

— Les femmes que j'ai connues — deux ou trois — avaient un emploi quelconque mais c'était pendant la guerre, bien sûr.

Elle se sentit piquée comme s'il lui avait adressé un reproche.

— J'ai eu plusieurs emplois, riposta-t-elle. D'accord, il est temps que je change de vie. C'est un gaspillage idiot de rester libre ou à demi-libre pour le cas... c'est bien fait pour moi, c'est...

Il reprit sa main et la porta à ses lèvres.

— Ne pleurez pas ! Vous frissonnez. Avez-vous froid ?

— Oui.

— Venez ici, étendez-vous, réchauffez-vous.

Elle s'allongea près de lui et continua à trembler de tous ses membres. Il sécha ses larmes avec son mouchoir, tira une couverture grise à raies marron pliée au pied du lit, l'étendit sur eux et la prit dans ses bras.

— Si ça vous est égal, on est un peu serré.

Au bout d'un moment il réduisit la lumière de la lampe à un cercle mince et dit :

— Dormez maintenant.

Une minute plus tard ce fut lui, pas elle qui s'endormit, la joue posée contre son front. Elle ne tremblait plus et resta éveillée, écoutant sa respiration et constatant avec un amusement mêlé de tendresse la facilité avec laquelle les hommes s'endorment au moment crucial. Une demi-heure plus tard, il remua et poussa un profond soupir. Elle dégagea sa tête et se pencha pour l'embrasser.

— Anémooone, dit-il d'un ton taquin. Vous vous sentez mieux ?

— Beaucoup mieux, mon chéri. Et vous ?

— Oh oui. Mais je n'avais pas l'intention de m'endormir. Je voulais que ce soit vous. Désolé.

— Il n'y a pas de quoi. Je me sentais bien. Mais n'est-ce pas extraordinaire ?

— Je le suppose. Quoi ?

— De tomber dans un trou de l'espace en pensant : « C'est un cauchemar, je vais me réveiller » et d'atterrir... dans vos bras.

— Je trouve cela tout naturel. (Il se tourna lentement vers elle.) Comment vont vos pauvres pieds ?

— Il me semble que les démangeaisons ont cessé.

— Parfait. Et, maintenant, cessez de parler de trous dans l'espace, de cauchemars et de solitude. Vous n'êtes plus seule, vous voyez. Finis les rêves morbides et les visions de fantômes. Vous me paraissez être une jeune personne charmante, pas du tout portée à voir des spectres ou déprimée. Très gaie et très séduisante.

— Merci, dit-elle avec ferveur en l'étreignant, encouragée par l'image qu'il lui présentait d'elle-même ; une femme pleine d'entrain et digne d'être traitée avec une galanterie d'avant-guerre. — C'est ce que j'essayais d'expliquer, reprit-elle. A la minute où je vous ai vu, j'ai commencé à reprendre pied.

— A la minute où *je vous ai vue*, j'ai commencé à penser... eh bien, à ce genre de possibilité.

— Ce n'est pas vrai ? C'est vrai ? C'est *vraiment* vrai ?

— Oh oui, c'est vraiment vrai, petite sotte.

Puis il ajouta d'un ton indifférent, tendu :

— Bien que je n'aie pas vu beaucoup d'avenir là-dedans.

— Je ne veux pas avoir l'air hantée par le surnaturel, mais je vous ai réellement vu avant de venir avec Ellie lors de ma première visite. Le croyez-vous ?

— Si vous le dites. Bien que je ne comprenne pas ce que vous entendez par là.

Il s'agita comme s'il était gêné ou ennuyé peut-être par les énigmes. Aussi ajouta-t-elle d'un ton léger :

— Je vous l'expliquerai un autre jour.

— C'est cela, dit-il en l'embrassant.

— Quoi qu'il en soit, vous paraissiez magnifique. Puis-je continuer à parler ?

— S'il le faut absolument.

— Oh oui, il le faut absolument. Vous n'imaginez pas mon soulagement après toutes ces semaines de refoulement. C'est au sujet de... Sibyl. Comment aurais-je pu imaginer que je la retrouverais ici, c'est-à-dire qu'entre tous les endroits possibles, c'est justement ici qu'elle viendrait finir ses jours.

— C'est plutôt bizarre je l'admets, surtout si votre famille était aussi liée avec elle que vous le laissez entendre. (Il étouffa un bâillement.) Elle n'est pas venue ici pour *mourir*, vous savez. C'était la dernière des choses qu'elle voulait.

— Je suis sûre qu'elle ne voulait surtout pas vous quitter. Je parie qu'elle espérait rester immortelle. Je me rappelle la cape bleue que vous portez parfois sur les genoux. Elle lui appartenait, n'est-ce pas ?

Il répondit vivement.

— J'ai tendance à avoir les jambes glacées. Mauvaise circulation. Oui, elle lui appartenait. Sa vieille cape de campagne comme elle disait.

Il esquissa un vague sourire. Elle relâcha son étreinte et se coucha sur le dos, attendant avec une sorte de crainte mêlée de défi une manifestation de Mrs Jardine. Mais aucune vibration n'indiquait sa présence. Elle était bien seule avec lui.

— Johnny, croyez-vous que les gens continuent à vivre après leur mort ?

Voyant qu'il pressentait de nouvelles questions relatives à ses relations avec Mrs Jardine, sujet qu'il entendait éviter, elle se hâta d'enchaîner :

— Miss Stay est convaincue que la mort n'est qu'un changement d'état de conscience, que chacun continue — les animaux aussi... Elle dit qu'elle en a eu la preuve par l'expérience directe. Elle semble folle. D'ailleurs, tout le monde ici paraît fou excepté vous. Et pourtant...

— Elle n'est pas folle, interrompit-il fermement. Loufoque, timbrée, braque si vous voulez, mais pas folle du tout. En fait, je serais assez enclin à ne pas dédaigner ce qu'elle dit.

— Comme c'est étrange. Aucun de ceux que je connais ne semble le croire.

— Peut-être vos amis sont-ils supérieurement intelligents.

Elle crut déceler une note de sarcasme dans sa voix.

— Ellie pense que Miss Stay est une sorte de sainte.

— Ellie a des raisons de le croire.

— Et vous ? demanda-t-elle timidement ; vous avez des raisons ?

Silence, puis il dit brusquement :

— Elle croit qu'elle peut me guérir.

— Quelle partie de vous ?

Il se mit à rire mais sa voix avait un accent d'amertume.

— Oh ! toute ma personne. Un jour, je me lèverai. Je marcherai. Voilà ce qu'elle croit.

— Je suppose qu'elle sait que vous le pouvez.

— Oh ! ce n'est pas son secteur. La médecine, les massages, la natation, l'exercice et tout le reste allié à la volonté et à la patience ne l'intéressent pas... non, non, elle attend un miracle. Elle me voit dans mon *vrai corps*, vous devez comprendre...

— Mais c'est ce que...

114

Elle ravala ses paroles.

— Elle ne se laisse pas décourager par les misérables efforts de cette chose qui est couchée près de vous.

— Ne vous maltraitez pas. Vous êtes magnifique et vos efforts n'étaient pas misérables. Vous marchiez bien droit.

Il la serra contre lui comme dans un mouvement de gratitude et répondit d'un ton rasséréné.

— L'arbre m'a bien aidé. Je ne sais ce qui m'a pris de vouloir parader ainsi, c'était un essai. L'idée m'en est venue...

Il se tut.

— Quand ?

— Quand nous nagions, je suppose. Vous aviez l'air si... je voulais vous faire sourire. J'aime votre façon de sourire.

— Quand vous êtes venu m'embrasser ? Pas étonnant que j'aie souri.

— Je voulais voir votre réaction. Ridicule.

— Non, pas ridicule. Merveilleux. Une merveilleuse surprise. Je ne l'oublierai jamais. Dès cet instant, tout a été enchanteur et continue à l'être.

Ils se turent, ne rompant le silence que par des bruits de baisers, des murmures de tendresse, des soupirs et des rires étouffés ; puis, au bout d'un moment, il reposa sa tête sur l'oreiller ; elle toucha sa joue et la sentit humide.

— Johnny, vous n'êtes pas triste, n'est-ce pas ?

— Pas vraiment. Je suis même plutôt heureux, mais je regrette que nous ne nous soyons pas connus il y a des années, quand j'étais encore bon à quelque chose.

— Oh ! non, mon chéri, moi je ne le regrette pas du tout. Pour une bonne raison : quand vous étiez à la fleur de l'âge, j'étais une gamine gauche, timide, idiote, trop grosse — vous ne m'auriez même pas regardée et, en admettant que vous m'ayez vue, j'aurais été trop éblouie pour lever les yeux sur vous. J'ai dû voir votre photographie. Tous les pilotes ressemblaient à des dieux et vous plus que tous les autres, j'imagine.

— Ne dites pas de bêtises.

Mais il n'avait pas l'air mécontent.

— Vous m'auriez rendu malheureuse, jalouse d'une dizaine d'autres poupées enthousiastes avec lesquelles je n'aurais jamais pu rivaliser.

Elle évoqua les images de héros abattus — riant, séduisants, irrésistibles — visages brouillés dans ses souvenirs d'adolescente.

— Avez-vous jamais eu à faire au Baron ? Au Baron rouge ? demanda-t-elle.

— Oui, au cours de plusieurs combats. Un jour, je me suis trouvé tout près de lui, presque aussi près que nous le sommes en ce moment vous et moi. Non, pas tout à fait aussi près. Nous avons échangé un regard dur. Il a agité la main avec une sorte de sourire. Très bizarre. C'est très peu de temps après que quelqu'un a fini par l'avoir.

— Comment était-il ?

— Très beau type, pas particulièrement rassurant. Un regard fixe, une expression sinistre quasi-fanatique.

— Comme Satan dans le *Paradis Perdu*.

— Je n'ai qu'une connaissance très vague du *Paradis Perdu*. Vous voulez savoir si j'ai porté des fleurs sur sa tombe. La réponse est non. Il avait abattu personnellement deux de mes meilleurs amis. Je voulais l'avoir mais quelque chose n'a pas marché. Je ne l'ai pas eu.

— Vous voulez dire qu'au dernier moment vous n'avez pas pu ? hasarda-t-elle.

— Je ne sais pas, répondit-il avec une sorte de colère. Il s'est passé quelque chose. Je vous le dirai peut-être ou peut-être pas. Si vous voulez savoir pourquoi je suis encore vivant je vous répondrai que le diable seul le sait. Moi pas.

— Je suis tellement, *tellement* heureuse que vous soyez vivant.

— Au fait, je ne le regrette pas en ce moment précis.

Elle sentit que le flot de pressions complexes — rage, frustration — qui l'avait envahi refluait de nouveau mystérieusement, rapidement comme il l'avait fait un peu plus tôt dans la nuit. Elle avait à ses côtés un garçon timide et caressant qui l'embrassait avec ferveur. Mais, au bout d'un moment, comme si les paroles qu'il avait prononcées dans un autre contexte avaient provoqué une baisse d'énergie, de désir, il parut évident que quelque chose allait de travers. Il s'écarta d'elle et s'allongea sur le dos.

— Nous avons trop parlé, dit-il avec irritation. Je voulais faire l'amour avec vous, ajouta-t-il après un silence. Je suppose que vous me croyez impuissant.

— *Certainement* pas, mon chéri. Je me suis parfaitement rendu compte que vous ne l'étiez pas, poursuivit-elle en riant.

— Mais vous l'avez cru ? insista-t-il.

— Jamais, à aucun moment.

— Il y a si longtemps que je n'ai pas couché avec une fille, dit-il avec un profond soupir.

— Mon pauvre amour. Ne vous faites pas de souci. Il n'y a pas de quoi. Regardez. Il commence à faire jour. Il va falloir que je m'en aille mais je reviendrai et tout sera merveilleux — nous ferons l'amour toute la nuit. Le voulez-vous ? Cette nuit ?

— Oui, marmonna-t-il. Mais...

— Dormez maintenant.

— Vous êtes bien ? murmura-t-il.

Et il s'endormit presque aussitôt comme après une fatigue salutaire.

Au moment où elle se leva, il poussa un faible gémissement de protestation mais il ne se réveilla pas. Dans la lueur vacillante de l'aube, son visage semblait si lointain, si austère qu'elle sentit son cœur se serrer avec une sensation jusqu'alors inconnue. Il lui parut intouchable comme retiré dans un royaume sans lumière, parmi les ombres et les ruines de sa génération massacrée : trop loin pour que l'amour humain puisse l'atteindre au moment présent.

Mais toute la journée — et tous les jours à venir — ce goût de joie demeura, dominant les remous des heures précédentes ; les appréhensions, explorations tantôt craintives, tantôt ardentes et charmées dans l'intimité sexuelle ; sensation de courant électrique traversant à certains moment la texture déchirée du jour ; un bain matinal, une expédition avec Trevor au magasin où, parmi d'énormes ballots de cotonnade imprimée (portant le cachet *Made in Manchester* mais inconnue des habitants de cette ville), elle acheta des métrages de tissu pour ses amies et sa famille ; elle acheta aussi des rouleaux d'ouate pour envelopper ses coquillages et ses objets de corail. Au coucher du soleil, apéritif avec les Cunningham — Ellie un peu déprimée, préoccupée — ou était-ce un effet de son imagination ? — Le capitaine interpellant Bobby plus souvent que d'habitude. Même ce phénomène, cette apparition nocturne — voix, visiteuse, — s'était estompé dans son souvenir devant la certitude abstraite, pénétrante d'un moment. Il était là : bulle de substance insubstantielle, éclatant dans son firmament intérieur avec le rayonnement d'une étoile qui vient d'apparaître après avoir parcouru une distance spatiale de plusieurs millions d'années-lumière. Quelque chose d'entièrement distinct de la nourriture quotidienne de la nature humaine. Quelque chose de jadis connu — mais quand ? oublié, reconnu — mais comment ?

118

Le véritable goût de l'amour peut-être !

Johnny resta invisible toute la journée. Chaque fois qu'elle tournait son regard vers la cabane, elle semblait avoir été évacuée. La barque était partie. Aucun signe de Louis non plus. Elle fut prise d'une angoisse profonde. L'arbre avait un aspect menaçant comme s'il prenait implacablement possession d'une demeure humaine désertée. Dans la soirée, l'air devint de plus en plus oppressant, irrespirable. Les couleurs s'estompèrent. La mer se souleva comme si elle bouillonnait sous sa surface livide. Un orage se préparait, c'était sûr. Ellie se leva et scruta anxieusement l'horizon du regard à travers l'ouverture taillée par le capitaine dans le rideau de verdure. Soudain, ses traits se détendirent.

— Ça va bien, murmura-t-elle. Louis n'aurait jamais couru le risque...

En réalité la barque était en vue. Elle glissait vers le rivage. La visiteuse rejoignit Ellie. Elles restèrent côte à côte en silence observant les mouvements de deux ombres chinoises se détachant confusément sur un arrière-plan obscur. Les rames furent calées. Louis tira la lourde chaîne jusqu'à ce que le bateau contenant Johnny se trouvât devant la cabane. Elles se détournèrent. Ellie dit brusquement :

— C'est triste, ma chérie. Votre avant-dernière soirée. Je pensais que nous pourrions... mais nous allons avoir un vilain orage. Harold nous l'a annoncé à déjeuner. Je me suis sentie mal en train toute la journée et Harold est d'une humeur de chien. Ma tête ! Elle va éclater. Et la vôtre ? Vous n'aurez pas peur n'est-ce pas si le tonnerre et les éclairs sont terribles ? Je serais soulagée si je savais que vous êtes en sécurité avec Staycie avant que la pluie ne tombe. Les pluies tropicales sont comme des murs, il ne faut pas être pris dedans. Heureusement que l'orage va éclater ce soir et non demain pour gâcher notre soirée d'adieux. Oh ! vous allez me manquer. Voilà ! c'est le premier grondement. Dépêchez-vous, ma chérie.

Elle obéit et s'arrêta dans sa course, à mi-chemin, en haut des marches pour jeter un regard sur la baie mais l'écran de palmiers lui bouchait la vue. Eux aussi semblaient sinistres avec leurs cimes qui s'inclinaient d'un côté et de l'autre, semblables à des têtes de monstres coupées plantées sur des piques.

Princesse se dirigea vers elle. Suivant les instructions de Miss Stay, elle apportait ses lampes aux Cunningham avant l'heure habituelle. Elle s'arrêta pour lui annoncer à voix basse l'heureux événement qui devait avoir lieu une semaine plus tard ; le baptême de sa dernière-née.

— Et si vous le voulez bien, je vous ai choisie pour être la marraine.

— Quelle faveur, Princesse ! Mais je pars bientôt.

— Cela ne fait rien. Vous lui ferez un joli cadeau avant de partir, n'est-ce pas ?

— Que vais-je lui donner ?

Princesse réfléchit gravement puis, désignant du menton le poignet de sa victime, elle déclara :

— Le bracelet.

— Non. J'y tiens. Pourquoi te le donnerais-je ?

C'était une gourmette ancienne en or avec un fermoir en forme de cœur serti de perles et de turquoises — un présent d'Anonymo.

— Chaque fois que je le verrai, je penserai à vous, répondit Princesse.

Y avait-il l'ombre d'un sentiment sincère dans cette absurde explication ?

— Voilà ce que je vais faire : j'achèterai un bracelet en Angleterre pour ton bébé et je te l'enverrai.

Princesse se tut. Une sorte de voile ternit l'éclat de ses yeux noirs. Larmes ? bouderie ? Elle baissa la tête.

— Je ferai graver son nom dessus. Comment l'appelleras-tu ?

— Comme vous, comme Mrs Cunningham vous appelle, Nonommée.

— Tu veux dire Anémone ?

— Comme j'ai dit : Nonommée.

Elle s'éloigna sans sourire.

Miss Stay l'attendait en haut des marches de la veranda.

— Courez, courez, lui cria-t-elle. Tous mes poussins doivent être à l'abri. Mr Bartholomew vient de rentrer — son pèlerinage lui a remonté le moral. Quelle différence. Il fait véritablement plaisir à voir. Une seule petite difficulté : il voulait absolument monter Daisy pour un temps de galop mais, grâce à Dieu, j'ai réussi à le faire changer d'idée. Elle a eu son content, la pauvre bête. Et, maintenant, dites-moi, nos chers amis du bungalow ont-ils l'esprit serein ? Pour une fois, ils supportent leur tête-à-tête, j'espère...

Elle s'interrompit, percevant quelque chose de déplacé dans sa phrase et poursuivit avec un regard songeur et lointain :

— Ses voies sont mystérieuses, c'est certain.

— Vous parlez du capitaine ?

Miss Stay rejeta la tête en arrière avec un roucoulement d'approbation.

— Coquine, vous avez l'esprit trop vif. Il est vrai que les mots pouvaient avoir un double sens.

Elle poussa un soupir, transperça la visiteuse du regard et poursuivit d'un ton à la fois solennel et évasif :

— Oui... oui... quelqu'un était en route. Je l'ai vu et revu dans les cartes aussi nettement... aussi nettement dissimulé devrais-je dire, mais il n'y avait pas d'erreur ; projetant une ombre très longue.

— Qui projetait une ombre très longue ?

— Vous, déclara Miss Stay sans équivoque pour

une fois. Inutile d'écarquiller les yeux avec tant d'étonnement. Les longs rayons projettent des ombres longues... au point d'intersection. Et c'est indépendant de notre volonté. Quels changements, hein, depuis que vous avez atterri sur le seuil de cette maison comme une pauvre petite orpheline égarée dans la tempête.

La visiteuse baissa la tête et rougit.

— Oui, oh ! oui. Des changements pour moi en tout cas.

— Comme un lis brisé sur sa tige, murmura Miss Stay poursuivant le fil de ses pensées.

Pour les faire dévier l'autre risqua :

— Que se passe-t-il ? Je ne m'en rends pas très bien compte.

— Que Dieu me pardonne, je n'y suis pour rien, s'écria Miss Stay.

— Peut-être cette île est-elle enchantée comme celle de Prospero. Peut-être vais-je me réveiller bientôt.

— Oh ! il y a de la magie dans l'air — quelque chose de puissant — aucun doute. *N'ayez pas peur* pourtant... oh ! je peux entendre sa voix émouvante. Nous avons eu notre plein de culture, nos lectures du Barde ! Elle était l'éducation libérale en personne. Quand je pense que c'est vous qui l'avez ramenée — qui l'avez ramenée avec vous, à l'insu de tous. Mais vous avez toujours été un genre de catalyseur, j'imagine ? (Elle eut un petit rire.) Surprenant n'est-ce pas, d'entendre d'aussi grands mots tomber de ces lèvres ! Pouvez-vous deviner qui s'est donné la peine d'améliorer notre vocabulaire ? — et surtout en ce qui concerne les contributions misérables de votre humble servante.

— Oui, je devine. Elle n'a jamais laissé passer une occasion d'instruire les gens.

— Oh ! elle avait un don pour cela. Mais c'était hautement nécessaire — et agréable de surcroît. Cependant, quand on en venait au Barde, Mr Bartholomew pouvait lui en remontrer à l'occasion. Elle lui manque à lui aussi — c'est-à-dire quand une corde vibre dans sa mémoire... Ah ! voici la pluie, il n'y a pas d'erreur, c'est inhabituel à cette époque de l'année. Lequel d'entre nous peut bien déclencher la pluie ? J'ai accusé le pauvre Mr Bartholomew pour plaisanter naturellement, mais il a été très offensé. Il a cru que je faisais allusion à sa petite faiblesse. C'est un homme très susceptible.

— Sa petite faiblesse ?

— Faiblesse de la vessie, ma chérie. Nous en arrivons tous là. Mon Dieu ! Quels mouvements au-delà du récif. Quel spectacle.

Des hiéroglyphes en violet criard zigzaguaient à intervalles rapprochés dans le ciel sinistre.

— Prions pour qu'aucun navire ne soit frappé, poursuivit Miss Stay en jetant un coup d'œil du côté de la cabane. Il est à l'abri à l'intérieur, j'espère.

— Oui. Nous avons vu le bateau rentrer avant que j'aie quitté le bungalow.

— Ah ! ils doivent boire au gré de leur fantaisie alors. (Elle parut pensive.) Quand même, ce cher garçon va regretter son bain du soir. Alors il devient grognon. Quand un homme est de mauvaise humeur nous savons ce qui s'ensuit. Quelle pitié.

Elle parut laisser une question en suspens.

La pluie tambourinait si fort sur le toit de la véranda que la visiteuse fut obligée de crier pour se faire entendre.

— Est-ce que ce déluge va continuer ? Que dois-je faire ?

La tête de Miss Stay se tourna vers elle avec une brusque secousse.

— J'allais... il m'a demandé de lui faire une petite visite ce soir. Peut-être ne m'attend-il plus maintenant.

— Certainement qu'il vous attend. Vous n'allez tout

de même pas décevoir ce pauvre garçon solitaire. Glissez-vous dehors dès qu'il y aura une accalmie. Prenez ma lampe électrique, vous la trouverez dans le placard du salon. Il faut que je me dépêche d'aller vérifier les volets. Ne vous donnez pas le mal de rapporter la lampe ce soir, lança-t-elle par-dessus son épaule en s'éloignant.

Le clin d'œil appuyé qui accompagnait ces derniers mots était sans doute provoqué par un mauvais fonctionnement du mécanisme réflexe.

Elle prit la lampe, enfila vivement un costume de bain, s'enveloppa dans son kimono et courut sous la pluie torrentielle sans attendre l'accalmie promise. Quand elle atteignit la cabane, elle était toute ruisselante, trempée jusqu'aux os. Il éclata de rire à la fois soulagé de la voir arriver et amusé de son aspect grotesque. Traversant la pièce lentement mais assez aisément pendant qu'elle se déshabillait, il lui apporta son grand peignoir de bain en tissu éponge, l'enveloppa dedans, l'attira sur ses genoux et se mit à la frictionner mais ses cheveux mouillés inondaient sa chemise. Elle la lui ôta et l'enroula en turban autour de sa tête.

— De quoi ai-je l'air ? lui murmura-t-elle à l'oreille.

Il n'avait pas encore dit un mot. Elle avait l'impression de l'entrevoir de distances illimitées et, en même temps, par fragments, magnifié : ses yeux jetant des éclairs, se fermant, s'ouvrant ; ses lèvres, ses mains, sa joue rose, les contours émouvants de sa tête et de son cou quand il se tourna un instant pour placer une lampe à côté d'eux.

Bientôt, ils furent allongés sur le lit. La pluie qui ruisselait du toit en pente raide bruissait et murmurait dans le cep marin avec une voix de cascade, enfonçant la maison de coquillages dans une sorte de grotte sous-marine faite d'échos, de murmures, de lueurs et d'ombres où rivés l'un à l'autre, plongés l'un dans l'autre, ils étaient sans cesse roulés dans des vagues submergeantes pour être projetés enfin dans les trous d'eau fertiles laissés par la marée.

Un peu après minuit, elle revint flotter dans la réalité consciente de la séparation et remarqua que la pluie avait cessé. Se dégageant de son étreinte, elle ouvrit les volets sur une nuit ineffablement lumineuse et embaumée, si claire que les contours du disque entier de la lune étaient visibles avec seulement un mince filet de l'astre dépouillé — un croissant d'argent incliné capté dans un réseau d'étoiles.

Il était éveillé et souriait béatement quand elle revint s'étendre auprès de lui. Le turban était tombé depuis longtemps et ses cheveux se dressaient tout autour de sa tête dans un fouillis de boucles humides.

— Ménade, dit-il en la fixant avec des yeux brillants.

— Je meurs de faim, dit-elle, je n'ai pas dîné. Je suis venue si précipitamment.

— Pas possible ! Il va falloir que tu trouves de quoi manger. Il y a du vin dans la glacière. Nous pouvons le boire. Et Louis t'a préparé quelque chose. Il sait que tu as toujours faim.

— C'est vrai ?

— Oui, c'est vrai. Il t'aime bien. Il t'appelle maîtresse Nanomie.

— Et Princesse croit que je suis Non Nommée. Elle veut baptiser son bébé Non Nommé en mon honneur. Ainsi, je vais laisser une petite légende dans l'île. Pauvre enfant ! On dirait une mauvaise histoire triste, n'est-ce pas ? (Elle se souvint brusquement.) *Je n'ai pas de nom. Je n'ai que deux jours.* Mon nom est joie.

— Tu ne seras pas oubliée. Ils inventent encore des histoires par ici, des histoires très étranges, m'a dit Louis.

— Toi, tu deviendras certainement un héros de légende, dit-elle. Ton souvenir restera toujours dans les mémoires.

Brusquement, dans l'espace d'un éclair, elle eut la vision de son sort : elle le vit figurer dans le folklore de l'île longtemps après que lui, le vrai Johnny... elle se recoucha à côté de lui, le serrant contre sa poitrine dans un regret passionné à la pensée de son absence prévue, éternelle, des images du temps.

— Le grand homme-poisson et son épouse vierge, dit-il. C'est toi.

Bien qu'il parlât sur un ton léger, le rôle qu'il lui attribuait l'alarma. Comme les caprices de son imagination le rendaient capable, lui si avare de paroles sentimentales, de descendre au niveau où elles vivaient et résonnaient sans ambiguïté. Les mots « épouse », « vierge » continuaient à retentir à ses oreilles. Elle les écouta en silence, soudain déprimée.

— Qu'as-tu ? demanda-t-il. Tu n'aimes pas cette image ?

— Je l'aime beaucoup au contraire.

— Tu ne pleures pas, j'espère.

Il semblait sous-entendre « tu ne vas pas recommencer ».

— Non, mais...

— Mais tu n'es pas heureuse ?

Son ton reflétait l'angoisse, la nervosité.

— Je suis très, très heureuse. C'est la nuit la plus merveilleuse, la plus incroyable de ma vie.

— Mais... ?

— Pas de « mais ». Tu es un amant parfait. Absolument remarquable pour quelqu'un qui manque de pratique comme tu le dis.

— Eh bien ! tu es merveilleuse toi aussi, dit-il avec un soupir.

Il paraissait à la fois flatté et reconnaissant et, de nouveau, elle fut frappée par sa jeunesse, par la fraîcheur enfantine qui subsistait en lui.

— Je me demande si tu désirais que je sois ce que tu viens de dire, murmura-t-elle.

— Qu'est-ce que je viens de dire ?

— Eh bien ! pas ton épouse, ce serait très prétentieux de ma part ; l'autre chose.

Il hésita.

— Ah ! Je serais très démodé si je l'avais souhaité, n'est-ce pas ? répondit-il un peu gêné.

— Eh bien ! moi je l'aurais souhaité, dit-elle passionnément. Si tu savais combien de fois il m'est arrivé de n'avoir aucun plaisir. J'ai pensé que je ne devais pas être normale. Peut-être n'ai-je jamais aimé avant. Je t'aime, Johnny.

Il répondit comme si c'était une déclaration qui lui était arrachée contre sa volonté :

— Je t'aime aussi.

— Qu'allons-nous faire ?

— Je ne sais pas, grommela-t-il. Cesse de penser.

Cette fois, ses étreintes furent si violentes, presque sauvages qu'il lui parut de nouveau étranger ; et quand il se retira d'elle, il était essoufflé, pâle, d'une pâleur de cire et la sueur ruisselait de son visage, le long de son cou, sur son grand torse lisse.

Elle se pencha, plaqua son oreille contre son cœur et écouta ses battements.

— Johnny, ton cœur bat terriblement vite et fort.

Il posa vivement une main sur sa poitrine.

— Il est parfaitement régulier, dit-il.

La rudesse de son ton la surprit. Elle s'assit et le fixa du regard. Souriant mais froid, il ajouta :

— Je ne vais pas avoir une crise cardiaque si c'est ce qui t'inquiète.

— Non, ce n'est pas le moment, répliqua-t-elle d'un ton léger. Ce serait trop embarrassant. Que dirait Louis ? Et Ellie ? Et Miss Stay. L'imagination recule.

— Staycie dirait que c'était la meilleure façon de partir, répondit-il sur un ton tout aussi léger. De toute façon, elle ne croit pas que je ferai de vieux os.

Le sentiment de malaise qu'elle avait éprouvé persistait. Elle se leva et alla chercher de quoi manger à la cuisine. Elle revint avec des fruits, la crème au chocolat que Louis avait préparée et une bouteille de vin blanc, qu'il déboucha ; il but avidement.

— Excellent château bouché, dit-il. Je me demande où elle était cachée. Jackie en a déniché une douzaine l'autre jour et les a apportées. Très aimable de sa part. Tu ne savais pas que j'avais une cave, n'est-ce pas ?

Elle devina d'où venait la douzaine. Il ne tenait pas à s'étendre sur le sujet de Jackie.

— La crème est délicieuse aussi. Au fait, où est Louis ?

— Il est allé voir sa petite amie — l'une de ses petites amies.

— Comment ? Il a une petite amie ? Il a quatre-vingts ans, non ? — Peut-être même quatre-vingt-dix.

— *Mon Dieu, cela n'empêche pas*, dit-il en français, dans le cas de Louis.

— Magnifique.

Il avait un accent français impeccable. Elle se rappela que Mrs Jardine lui avait appris à pratiquer et à maîtriser la langue pendant les longs mois passés dans son hôpital. Elle éclata :

— Oh ! je voudrais qu'elle s'en aille. La sens-tu près de toi parfois ? Errant dans les parages ? Eh bien ! c'est ce qu'elle fait.

Il posa son verre et le remplit sans répondre.

— Ainsi, tu sais ! Elle était amoureuse de toi, n'est-ce pas ? — follement, follement amoureuse. Tu étais le dernier, je suppose. As-tu succédé à celui qui s'appelait Gil ? T'a-t-elle jamais parlé de lui ? Il a été tué. Je l'ai rencontré un jour. Il m'a embrassée.

— Et maintenant, tu m'as rencontré et je t'ai embrassée.

— Ne parle pas ainsi ! Dis-moi si *toi*, tu l'aimais.

— Bien sûr que non. (Une rougeur subite lui monta au visage.) Tu veux savoir si j'ai fait l'amour avec elle ou si je l'ai désiré. La réponse est non, naturellement.

— Mais elle le désirait.

— Pas réellement, je crois.

Il semblait gauche, puérilement gêné mais pas guindé comme avant lorsque la question de Sibyl Anstey flottait dans l'air.

— Je suppose qu'elle n'a pas eu de chance de vieillir — et de se sentir encore jeune. Je l'ai aimée, tu sais. Comme je te l'ai dit, je lui dois beaucoup. Bien sûr, à certains égards, elle était encore une beauté. Compte tenu de son âge, elle était remarquable et elle aimait se l'entendre dire.

Compte tenu de son âge... La plus triste des réserves pour une femme Elle eut de la peine pour Sibyl Anstey, la jeune beauté de son temps.

— Oui, soupira-t-elle. Pauvre Sibyl. Je me rappelle lui avoir entendu dire un jour : « Le don fatal de la beauté. » Etrange qu'il soit si souvent une malédiction. Elle devait toujours espérer — et attendre — qu'il se révèle le contraire.

— C'était en partie de ma faute, dit-il avec un air de componction.

— En quoi ?

Il s'étira paresseusement et sourit.

— Eh bien ! j'aimais flirter ; elle aussi. Elle flirtait adorablement. Certaines femmes âgées ont cet art.

— Un jeu *divin* pour deux, dit-elle d'un ton pointu ; extrêmement agréable — sauf peut-être pour les spectateurs : le mari par exemple ou les filles ou les petites-filles. Il exaspérait Maisie, je m'en souviens.

Il la regarda un sourcil levé. Son sourire amusé s'effaça.

— Je ne crois pas que cette chère Maisie l'ait mal pris, dit-il doucement. Nous nous entendions très bien.

— Oh ! j'en suis convaincue. Je suis sûre qu'elle t'adorait — qu'elle t'adore — elle aussi. Qui pourrait ne pas t'aimer ?

— Voyons ma chérie. Où veux-tu en venir ?

Le terme affectueux qu'il employait pour la première fois ainsi que la tendresse qui perçait dans sa voix adoucirent son humeur. Il lui tendit les bras et elle vint se blottir contre lui.

— Je ne sais pas. J'ai peur. Puis-je être jalouse ? Quand tu parles d'elle, j'ai l'impression d'être rejetée hors d'un cercle intérieur, isolée. Elle a eu tant de toi et il faut que je te laisse ici avec toutes ses reliques autour de toi, son toit pour te couvrir, tous les souvenirs. Je veux qu'elle soit exorcisée, ajouta-t-elle avec un effort.

Il ne répondit pas. Elle se dressa sur un coude pour le regarder. Il lui sourit tendrement, l'air somnolent.

— Ne te tracasse donc pas, murmura-t-il vaguement. (Il soupira, jeta un regard circulaire sur la pièce.) Je te l'ai déjà dit. Tout ceci ne paraît pas vraiment réel. Je ne suis pas chez moi ici. Parfois, j'ai un cafard terrible.

En disant ces mots, il posa sa tête sur l'épaule d'Anonyma dans un geste d'abandon si total qu'elle se sentit submergée de tendresse et de contrition. « Il a confiance en moi », se dit-elle, et elle attendit en lui caressant la tête qu'il reprenne la parole.

— Je suis parfois d'une humeur massacrante, odieuse. J'aspire à être projeté hors de toute cette sacrée bande — y compris Staycie et même Louis.

130

Quant à de Pas, je rêve de lui faire sauter la cervelle — et à Jackie aussi. Je la hais. Je rêve qu'ils sont tous morts ou desséchés... et que je reste seul, mâchonnant des algues. Qu'est-ce que je fais, Bon Dieu, emprisonné au milieu de ces dingues ? (Il émit un son qui tenait à la fois du rire et du gémissement et se coucha sur le dos les yeux fixés au plafond.) As-tu remarqué comme sa bouche est tordue ?

— La bouche de qui ?

— De Jackie. Elle n'était pas ainsi avant — bien qu'elle n'ait jamais été tellement agréable à voir. Je ne crois pas que je la déteste vraiment. Ce n'est pas une mauvaise fille. Une sacrée infirmière. Dynamique, très populaire dans le service, un parfait sens de l'humour. Peux-tu *imaginer* que je me sois mis dans cette situation ? — par coup de tête, sans me soucier de ce qui m'arrivait —, m'en remettant complètement à elle — je parle de notre amie commune. Pure lâcheté, désespoir si tu veux.

Il se pencha pour prendre une cigarette dans le paquet posé sur la table, l'alluma et en tira quelques bouffées avant de poursuivre d'une voix calme sans expression :

— Avant que je ne tombe du ciel, j'étais fiancé à une jeune fille.

— Je m'en doutais. Comment s'appelait-elle ?

— Sylvia.

— Parle-moi d'elle.

— Une fille charmante, toute jeune, très jolie. Cheveux blonds, yeux bleus.

— C'est elle qui a rompu ?

— Pas elle. Moi. Comme si j'allais la laisser s'enchaîner pour la vie à une misérable épave. C'était son intention. Elle avait l'esprit de sacrifice. J'ai réglé la situation en épousant mon infirmière, avec la bénédiction de Sibyl. *Mariage blanc*, je n'ai pas besoin de te le dire. Alors j'ai accepté — j'ai *accepté* de me laisser embarquer pour les rivages des Tropiques où nous pouvions vivre notre idylle loin de toute partie intéressée.

— Y compris ta famille ? Tes parents ?

— Oui, mes parents. Des gens charmants. Je les aimais beaucoup. Ils sont morts tous les deux maintenant. Je ne pouvais accepter de les revoir ou de leur imposer ma présence avec l'idée qu'ils feraient semblant de ne pas être embarrassés ou déprimés ou désolés pour moi. J'ai une sœur, une gentille fille qui aime la vie au grand air. Elle s'est mariée pendant la guerre. Il a été tué naturellement. J'ai de ses nouvelles de temps en temps. Elle vit dans notre vieille maison du Cumberland et fait de l'élevage. Elle s'appelle Monica.

— Tu n'as pas de nouvelles de Sylvia ?

— Non, je n'en ai *pas*. Elle est mariée et a des enfants. C'est très bien ainsi.

Il se passa la main sur la poitrine comme pour toucher le médaillon qu'il portait habituellement, mais il l'avait enlevé.

— Je sais où elle habite, continua-t-il. J'ai souvent fait *un rêve pénible. J'allais jusqu'à sa porte, je l'ouvrais* et je la cherchais mais je ne pouvais la trouver. Elle était toujours invisible. C'est terminé, une histoire qui fait partie d'une autre vie — fini ; *néant.*

— Tu l'aimais beaucoup ?

— Ce soir, je me le demande. Je le croyais, bien sûr. Pourquoi dois-je penser à elle maintenant ? Ce n'est peut-être pas très flatteur pour toi.

— Tu es stupide, mon chéri. Quand on pense à l'amour, comme tu le fais peut-être, on pense tout naturellement à tous les êtres qu'on a aimés.

— Bien peu dans mon cas. Je ne le sais pas en ce qui te concerne. Ne me le dis pas. (Il l'embrassa tendrement mais d'un air distrait.) Est-ce cela ? Oui, peut-être. C'est à ce stade que Sibyl est entrée dans ma vie. Elle a été mon anesthésique. Qu'aurais-je fait sans elle ?... Elle m'a inventé une vie toute nouvelle — une affaire convenable, qui marche. Elle y a mis tellement d'énergie... et je crois que c'était — quel est le terme ? — désintéressé. Elle savait ce qu'elle cherchait et elle s'est mis dans la tête de le trouver : un endroit où je puisse vivre dehors la plupart du temps et remettre ma charpente en état. Pas question de piscine — de la vraie natation. Elle a exploré tous les rivages du monde. Si tu te souviens d'elle, tu dois savoir à quel point elle était pratique et consciencieuse.

— Oh ! oui, je m'en souviens. C'est l'une des raisons pour lesquelles les enfants se sentaient tellement en confiance avec elle.

— Oui, je me sentais en confiance, dit-il songeur en esquissant un sourire contraint. Comme tous ses projets, celui-ci était magnifique mais il comportait une faille. Trois failles même.

Elle fut assaillie par des échos de paroles presque identiques, un thème semblable qu'elle avait entendu développer bien longtemps auparavant.

— Elle, moi, Jackie, continua-t-il, l'équation ; voilà ce qu'elle ne réussissait pas à résoudre.

— Elle ne l'a jamais pu mais qui le peut ? Est-ce que vous vous êtes trouvés tous les trois dans un pétrin terrible ?

Il réfléchit :

— Pas exactement. Jackie en tout cas s'en est sortie. Ce n'est d'ailleurs pas moi qui ai jamais troublé Jackie, c'était Sibyl. Elle s'était entichée d'elle, mais elle s'en est détachée à temps. Elle n'est pas du genre à se laisser dépérir, c'est une fille de ressources ; elle n'entreprend que ce qui est à sa portée.

— Vous n'étiez donc plus que deux.

— Je n'étais pas tout à fait... (il se mit à prononcer des phrases incohérentes), sa compagnie était merveilleusement stimulante et elle était assez vieille pour être... Je n'ai jamais pu comprendre pourquoi elle se donnait tant de mal pour moi. Je ne suis pas particulièrement brillant. Je suis un individu moyen, ordinaire...

— Mais merveilleusement beau.

Il la secoua légèrement dans un geste d'impatience. Comme pour dire qu'il avait assez entendu ce genre de propos ou comme si une corde sensible de sa mémoire venait d'être effleurée. Elle pouvait entendre les syllabes vibrer dans la gorge de Mrs Jardine. Elle ajouta :

— Et elle est tombée éperdument amoureuse de toi. Pauvre Sibyl. Oh ! que je suis heureuse de n'avoir pas été là. Elle ne t'aurait jamais laissé faire l'amour avec moi.

Silence tendu, puis il reprit :

— Je n'aurais vraisemblablement pas pu... Impensable. Indépendamment du fait qu'elle était vieille — et malade de surcroît — je la mettais sur un piédestal. J'aurais eu l'impression de commettre un viol — vraiment, je ne sais pas.

— Mais ce n'est pas ainsi qu'elle voyait les choses. (Elle hésita.) Je vois... Je vois très bien ce qu'elle voulait.

— Que voulait-elle ? demanda-t-il d'un ton assez maussade.

— Eh bien !... ton rétablissement qui aurait été son œuvre signifiait — dans son esprit — qu'*elle* posséderait ton amour exclusif, qu'elle te tiendrait pour la vie.

— Je n'ai jamais cru à mon rétablissement, comme tu dis, je n'ai jamais eu l'ombre d'un espoir à cet égard. Au début j'étais beaucoup plus désarmé que je ne le suis maintenant. D'ailleurs...

— Tu croyais que tu ne pourrais plus jamais faire l'amour ?

— J'étais sûr que j'étais fini — impuissant. (Il

poussa un soupir et lui donna un léger baiser.) Non que nous ayons abordé la question mais (il poussa un nouveau soupir) c'était plutôt embarrassant parfois de savoir qu'elle — oh ! seigneur — se rendait... tu sais... attrayante, en quelque sorte.

— Mon Dieu...

Il avait des sentiments délicats, il était chevaleresque. Contrairement à certaines personnes... Il se souleva pour éteindre sa cigarette, retomba sur le dos et reprit :

— Je l'ai tuée.

— Que veux-tu dire ?

Mais c'était comme s'il le lui avait dit à leur première rencontre, comme si elle avait vécu dans l'attente du moment où il le dirait.

— Naturellement, je ne l'ai ni étranglée ni abattue à coups de hache.

Il garda un silence lugubre. Pour l'encourager à poursuivre, elle s'enquit.

— Etait-ce son cœur ? Je la revois calée avec des coussins, les lèvres bleues et pensant d'après les propos de Maisie qu'elle pouvait mourir d'un moment à l'autre, d'un choc brutal.

— C'est cela. Le moment vint. Et Maisie et le choc.

De nouveau tout parut être le début d'une histoire jadis familière.

— Un choc dont elle est morte ?

— Pas sur le coup mais... oui.

— Je vois, je vois. Vous vous entendiez bien — trop bien — Maisie et toi.

— Au début, tout allait bien. Tout le monde était heureux. Elle était tellement entichée de la gosse de Maisie et si fière que Maisie soit médecin. Mais ensuite... tu te rappelles peut-être : Maisie est une fille libre, une bonne vivante. Sibyl a commencé à se méfier.

— A propos de quoi en particulier ?

— Eh bien nous aimions veiller tard et boire.

— Ah, Sibyl ne devait pas approuver cela. Elle pensait que c'était vulgaire. Elle déplorait aussi ce que les veilles et la boisson entraînent.

— Voilà justement la source du mal, dit-il avec une sorte d'amusement mêlé de tristesse. Nous avons eu une amourette. Rien de sérieux. On ne le dirait pas en la voyant mais le docteur Maisie est très portée sur la bagatelle.. Et peu lui importait que je ne sois pas à la hauteur. C'est une brave fille.

— Elle t'a aidée à reprendre confiance en ta virilité.

— Peut-être. Ne sois pas si méchamment sarcastique.

— Toute cette histoire me paraît affreusement vulgaire. Je prends le parti de Sibyl. Je ne suis pas portée sur la bagatelle.

— Sans blague ?

Il la prit dans ses bras avec un rire silencieux, parfaitement détendu.

— Et je doute que les motivations de Maisie aient été tout à fait pures mais, naturellement, cela ne t'aurait pas gêné.

— Oh tu es fâchée ! Pourquoi ? Je peux t'assurer qu'elle est *loin* d'être aussi séduisante que toi. Pas vraiment mon type.

— Je suis heureuse de l'apprendre mais ne sortons pas du sujet. Tu es censé avoir entrepris une confession profondément sérieuse. Que s'est-il passé ?

— O-o-oh !...

Il poussa un gémissement prolongé et sombra dans une sorte de dépression.

— Voilà ce qui s'est passé, reprit-il. Au petit matin, Sibyl a soudain surgi sur le seuil de la porte, le regard fixe, tremblant de tous ses membres. Nous pensions que Louis l'avait transportée en haut plusieurs heures auparavant, mais il paraît qu'elle lui avait dit de la laisser, que Maisie s'occuperait d'elle. Elle nous a dit qu'elle avait appelé pendant des heures, qu'elle avait eu besoin du médicament qu'elle prenait pour ses palpitations et nous a reproché de l'abandonner. Elle s'est mise à pleurer, c'était terrible, elle est tombée par terre et sanglotait à perdre haleine. Elle disait que c'était *indigne* — que sa propre petite-fille n'était qu'une traînée et que l'un des crimes les plus odieux était d'abuser de l'hospitalité.

— Qu'entendait-elle par-là ?

— Que son précieux sanctuaire était utilisé à des fins immorales. En réalité, nous ne faisions que boire et fumer grâce au ciel — et jouer de la guitare, ajouta-t-il en prenant brusquement l'attitude d'un écolier pris en faute qui veut se justifier. Mais, selon ses principes, notre conduite était abominable.

Il s'interrompit puis enchaîna d'un air abattu :

— De la première minute à la dernière, elle n'a pas jeté un regard sur moi. Maisie l'a relevée et l'a portée tout le long du chemin jusqu'à la maison. Elle avait à moitié perdu connaissance. Elle est morte juste avant l'aube... la main dans celle de Maisie. C'est la dernière fois que je l'ai vue, ajouta-t-il d'une voix étranglée. Je ne crois pas qu'elle m'ait pardonné.

— Je suis sûre que oui. Elle t'a certainement pardonné. Elle t'aimait et elle pardonnait toujours. Elle était magnanime.

— Oui. Eh bien, je l'espère. Elle m'a envoyé une sorte de message bizarre. En réalité les dernières paroles qu'elle ait prononcées.

— Qu'a-t-elle dit ?

— Il était question d'un assassin. *Ô jeune homme, ô mon assassin...* C'était cela. Elle a dit : « Explique-lui que c'est une citation » et Maisie m'a rapporté qu'elle a souri — un vrai sourire. Te rappelles-tu son sourire ? — extrêmement amusé.

— Je me le rappelle, ses larmes aussi. Je me rappelle les deux.

Elle s'allongea sur le dos et tendit l'oreille comme pour distinguer l'écho d'une voix.

— Et je me rappelle l'une des dernières choses qu'elle m'ait dites *à moi*.

Elle s'interrompit ; il tourna la tête d'un air interrogateur.

— Que tu ne voulais pas être... sauvé.

— Oh sauvé ? (ton dégoûté) mais que diable je ne vois pas où tu veux en venir.

— Qu'importe. J'ai senti qu'elle était venue pour me mettre en garde. Tu étais sa propriété et les intrus doivent être poursuivis. Voilà ce qu'elle laissait entendre, mais je suppose que c'était ma mauvaise conscience. Tu connais le processus des rêves.

— Oh, ce rêve dont tu parles avec tant de mystère... Au diable ton rêve. Mais si l'idée t'est venue que je ne voulais être la propriété de personne, tu es tombée juste.

— Oui, l'idée m'est venue. Et Staycie ? Elle essaie de te sauver elle aussi, m'as-tu dit.

— C'est différent.

— Tu veux dire qu'elle ne veut pas coucher avec toi.

Il poussa une exclamation indignée et la secoua de nouveau.

— Tais-toi. La vieille demoiselle n'a que de bonnes intentions, bon sang. Mais je ne suis pas un sujet très coopératif. Simplement, je ne l'envisage pas.

— Qu'est-ce que tu n'envisages pas ?

— Je n'envisage pas de vivre.

Il y eut un long silence qu'il rompit enfin en murmurant :

— Quoique, cette nuit, la vie ne me semble pas tellement mauvaise. Pas mauvaise. Pas mauvaise du tout.

Il la reprit dans ses bras et ils refirent l'amour une dernière fois — il se montra beaucoup plus tendre, plus confiant, plus prévenant. Après, il dit pour la première et la dernière fois :

— Je t'aime !

Quelques larmes se mêlèrent à leurs baisers.

— Qu'allons-nous faire ? répéta-t-elle.

— Je ne sais pas encore. Il faut que je réfléchisse.

Le jour se levait vite. Se soulevant sur un coude, la main calée sur sa joue, elle fixa sur lui un long regard. Il était allongé, la tête rejetée en arrière, les yeux mi-clos, un mince trait luisant entre les deux fentes étroites des paupières, l'expression indéchiffrable. Il y avait quelque chose dans cette expression — quelque chose de grave comme dans celle d'un être plongé dans une méditation, quelque chose d'impersonnellement triomphant et même de majestueux qui l'incita à retenir son souffle comme s'il l'éblouissait ou l'effrayait. Elle se sentit envahie par une étrange sensation primitive d'adoration, de soumission féminine totalement inconnue. Il parut à peine lui prêter attention quand elle murmura :

— Il faut que je m'en aille à présent.

Elle enfila la robe de chambre de Johnny, coiffa ses cheveux ébouriffés avec son peigne et rassembla ses vêtements encore humides. Alors il se dressa et lui dit :

— Ecoute.

Et ils eurent une conversation. Il lui demanda de revenir vers le milieu de la matinée. Il aurait mis au point un plan pour la journée, un plan pour qu'ils puissent passer la journée ensemble ? Oui, répondit-il fermement, et elle devait se prêter à ses arrangements. Personne, ni Ellie ni Trevor ni Kit ni Staycie ni Bartholomew ni Princesse ne devait s'immiscer dans cette journée de solitude à deux. Ils pourraient bien l'appeler jusqu'au soir, jusqu'à l'heure de cette maudite soirée d'adieux. Il fallait qu'elle parte maintenant pour aller faire un somme. Il en ferait autant. L'autorité avec laquelle il la prenait sous son aile mit le comble à son bonheur. La journée qu'ils avaient devant eux semblait s'allonger dans l'éternité.

Quand elle se retourna sur le seuil pour lui adresser un geste d'adieu, il était de nouveau couché sur le dos, immobile comme un gisant, son grand torse et ses longs membres nus éclairés par la lueur blafarde de l'aube.

Lorsqu'elle le rejoignit, elle le trouva déjà assis à l'arrière d'un coquet canot à moteur — pas le hors-bord de seconde classe de Tony de Pas — un bateau dont il pouvait se servir de temps en temps, expliqua-t-il, Louis dont le visage était fendu jusqu'aux oreilles par un sourire d'amusement et de satisfaction l'attendait pour l'aider à monter et pousser la petite embarcation dans l'eau. Les rames, deux cannes solides, les costumes de bain, un panier de pique-nique et des bouteilles étaient installés en bonne place. Johnny portait une casquette à visière verte ; il jeta un coup d'œil approbateur sur sa grande capeline seyante attachée avec une écharpe de coton rouge et blanche.

— Parfait, dit-il. Il y a une réverbération terrible sur l'eau. Il ne faut pas que tu attrapes une insolation pour ton dernier jour.

— Où allons-nous ?

— Dans un endroit que je suis seul à connaître. Personne n'y est allé depuis le commencement du monde. Un bout de chemin au-delà de la pointe. Nous ne devons pas aller trop loin, n'est-ce pas ? Il ne faudrait pas que nous soyons à court d'essence et que je ne puisse pas te ramener. Si nous étions en panne et que nous dérivions sur le récif ils attendraient en vain Nonnommée Anémone Anonyma pour sa soirée d'adieux.

— Je peux ramer, dit-elle. Je suis forte.

140

— Laisse-moi tâter. Sapristi, oui, quels muscles, absolument formidables ! Dis donc mon vieux — je peux t'appeler mon vieux ? — n'est-ce pas épatant ?

Il ne cessa de la taquiner, elle ne pouvait s'arrêter de rire. Il sifflait en tenant la barre ; ils regardèrent la terre s'éloigner, ses collines coniques couvertes d'une végétation dense se dressant très haut, plus haut, comme d'énormes vagues virant du vert au violet. A un moment, un gros poisson sauta tout près du bateau et il poussa une exclamation en regrettant de n'avoir pas apporté de canne à pêche. Rien de romantique ni d'intime ne fut dit. Leur humeur joyeuse flottait de l'un à l'autre comme si leurs corps étaient transparents : aussi radieux, aussi lumineux que l'air bleu et la mer étincelante couleur jacinthe striée d'améthyste. Après avoir contourné la pointe ils entrèrent en mer agitée. La brise était forte, le canot dansait sur des petites crêtes d'écume blanche.

— Il y a du courant par ici, dit-il.

Paroles banales prononcées sur un ton insouciant... mais une nuance dans sa voix, une particularité dans son port de tête provoquèrent une vibration bizarre. *Je connais tout cela*, se dit-elle, une eau, un ciel bleus resplendissants, un canot qui se balance ; un autre temps lointain, lointain ; un autre lieu jadis familier ; une voix d'homme portée par le vent prononçant ces mêmes paroles ; tête noblement proportionnée, cheveux noirs ébouriffés, nez à l'arête haute, menton plein vu de profil, longs bras à la peau dorée, main puissante maniant fermement la barre.

...Tout est comme avant, comme autrefois. Rien de particulièrement dramatique dans l'image entrevue, rien d'intrinsèquement mémorable ou important ; simplement une dislocation momentanée totale, un choc à la fois rude et indolore fait d'acceptation et d'étonnement. Si elle avait trouvé des mots pour exprimer ses sentiments, elle aurait pu dire : « Ainsi c'est vrai, nous

nous connaissons très bien. » Pourtant rien de sentimental, rien d'ambigu n'était attaché à l'image claire. Il la regarda plus attentivement.

— Tu es bien silencieuse. Aurais-tu le mal de mer ?

— Certainement pas, mais je commence à avoir faim.

— Encore ?

— Tu sais, je n'ai pas eu de petit déjeuner, pas une bouchée. L'orage avait mis tout le monde à plat. Le pain était humide, le café froid. Je n'ai pas vu Miss Stay ; elle est descendue au bungalow de très bonne heure. Mr Bartholomew était grognon. Miss Cropper a eu un choc terrible — un scorpion est tombé de sa brosse à cheveux. Je me suis précipitée vers elle quand je l'ai entendue hurler, mais cette bête m'a donné la chair de poule. Je n'ai pas pu la toucher. J'ai appelé Princesse. Elle l'a écrasée avec la brosse d'un air méprisant. Je regrette de l'avoir vue.

Pendant qu'elle continuait à bavarder, il tourna le bateau pour mettre le cap sur le rivage. En regardant la terre approcher, elle se rendit compte soudain que l'atmosphère de désarroi et d'abattement qui régnait dans la pension de famille ne l'avait guère affectée : même la vision répugnante du scorpion avait à peine effleuré son conscient alors que trois semaines plus tôt elle l'aurait épouvantée, paralysée, comme un nouveau symbole des affreuses menaces du mal qui l'entourait.

Le canot s'échoua doucement, elle descendit nu-pieds dans l'eau cristalline couleur de gentiane ; puis elle stabilisa le bateau pendant qu'il roulait ses jambes de pantalon jusqu'aux mollets et prenait ses cannes ; il se souleva avec précaution sur ses longues et belles jambes abîmées.

— Voilà, dit-il avec un accent de triomphe. C'est la baie qui demandait à être visitée.

— Elle ne l'a jamais été ?

— Jamais, depuis le commencement du monde, je te l'ai dit. En pêchant avec Louis, je l'ai repérée deux ou trois fois — je l'ai manquée à d'autres. Elle semble se cacher. C'est un présent pour toi, chérie. La baie Anonyma sur la carte.

C'était une crique profonde de sable blanc neigeux couvert de coquillages. De-ci de-là, surgissait un buisson épineux couvert de fleurs vermillon et d'immenses papillons aux raies jaunes et noires qui en faisaient leur repas. Un bosquet de bambous entourait la plage et, plus en arrière, des blocs de rochers sombres s'élançaient pour former une haute falaise escarpée. En haut, une chute d'eau, ténue et luisante comme une écharpe en tissu argenté au départ descendait en cascade, sculptant un canal fertile, bordé d'épaisses fougères ruisselantes et de bouquets d'arums dans sa partie inférieure.

Elle tira le bateau plus haut sur la grève, prit leur matériel et ils marchèrent lentement sur le sable vierge pour se diriger vers l'ombre du bosquet. Il se baissa pour s'asseoir sur un rocher à la surface creuse.

— Voilà même un fauteuil tout fait.

Elle étala la nappe de toile et s'assit à ses pieds.

Ils mangèrent et burent — arrosant les victuailles préparées avec amour par Louis avec du punch glacé, du café glacé — dans un silence heureux, rempli de la luminosité et de la torpeur du plein midi. Alors, il s'allongea à côté d'elle, l'attira dans ses bras et s'endormit. Une heure s'écoula. Il se réveilla le sourire aux lèvres, s'assit et la fixa du regard en haussant un sourcil.

— Pas de sieste ?

— Non. Je réfléchissais

Elle se disait qu'ils n'avaient plus que quelques heures à rester ensemble.

— A quoi ? Les femmes ne dorment jamais, marmonna-t-il en bâillant. Moi, j'avais drôlement sommeil.

— Pas étonnant.

— J'ai envie de faire l'amour avec toi. Qu'as-tu ? Pourquoi prends-tu cet air-là ?

— Quel air ?

— Tu sembles soucieuse ; l'es-tu ?

— Oui. Non. Oui. Johnny, il faut que nous parlions... il le faut.

— Oui. Eh bien... il le faut. Allons d'abord piquer une tête.

Il portait son maillot de bain sous son pantalon. Il la regarda pendant qu'elle se déshabillait.

— Que tu es jolie, dit-il. Pourquoi ce vêtement ? Ne le mets pas.

— Il vaut mieux que je le porte dit-elle. Quelqu'un nous observe... regarde. Nous ne sommes pas les premiers.

Il tourna la tête avec un mouvement de félin et suivit des yeux la direction de son doigt. A quelque distance, sur un carré d'herbe verte, à l'intérieur du bosquet, une vache blanche était attachée à un manguier, immobile comme si elle était peinte dans le paysage.

— Ça, par exemple ! s'exclama-t-il. Etait-elle là tout le temps ?

— Je crois que nous l'avons rêvée. Elle paraît très bienveillante.

— C'est une déesse-vache qui vient nous bénir.

Elle l'aida à se lever et il marcha un bras passé autour de ses épaules jusqu'à ce qu'il ait de l'eau jusqu'aux genoux. Alors il se projeta en avant d'un mouvement puissant, fit surface sans regarder en arrière et avança rapidement, la laissant seule, loin derrière lui. Il n'était plus qu'un petit point bondissant, presque invisible ; et elle eut soudain l'impression que la vaste étendue de terre et de ciel lui étaient hostiles. Puis il fit demi-tour avec force mouvements des bras et des épaules, les cheveux collés, le visage ruisselant et radieux ; il l'attira dans son orbite et prit quelques profondes inspirations avant de dire :

— Allons, viens, mets tes bras autour de mon cou — accroche-toi... je t'emporte... ni requins ni barracudas — technique de sauvetage spéciale des dauphins... plus efficace... bien plus amusant.

La portant sur son dos comme une plume, il repartit vers le large. Les yeux clos, les bras mollement passés autour de son cou, elle se laissa flotter au rythme de ses brasses vigoureuses et cadencées. Deux ou trois fois, il se secoua en riant, la désarçonnant, alors pendant un moment ils nageaient côte à côte. Il jouait dans l'eau comme si c'était son élément naturel, comme s'il était infatigable, et il la portait comme s'il n'allait jamais la laisser en arrière.

— Que faisons-nous ? haleta-t-elle. Est-ce que nous n'allons pas faire demi-tour ?

— Je me le demande.

— Tu es sûr qu'il n'y a ni requins ni...

— Non, non. Nous sommes à l'intérieur du récif. De toute façon tous les requins sont inoffensifs.

— Tu ne vas pas me noyer, non ?

— Je n'ai encore rien décidé.

Il nageait à côté d'elle et la regardait sans sourire. L'instant d'après enlacée dans ses bras, elle se laissa couler avec lui dans une étreinte suprême. Puis elle se dégagea, refit rapidement surface et se retrouva seule. Maîtrisant sa panique, elle le chercha de tous côtés. Avec son poids et ses membres longs, il remonta lentement, comme à regret.

— Peur ?

— Je ne peux pas avoir peur quand je suis avec toi.

— Mais tu as failli avoir peur ? N'est-ce pas ? dit-il avec une insistance bizarre.

— Eh bien ! oui, j'ai failli. Quand j'ai cru que tu ne remonterais jamais.

— L'eau est trop tumultueuse, dit-il vaguement.

C'est à ce moment-là que son humeur insouciante et sereine commença à changer. Cependant, après lui avoir jeté un coup d'œil amusé, il se contenta de dire :

— Immersion totale. Maintenant, tu m'appartiens. Je ne savais pas que tu avais les yeux verts, ajouta-t-il.

— Ils ne sont pas verts.

— Si, ils le sont. Vert clair. Tu es une sirène. Et, oh ! comme tu es pâle. Tu es fatiguée. Tu en as assez ?

— Je ne suis pas fatiguée...

— Bien. Comme tu l'as dit, retournons maintenant.

Comme s'il obéissait à des instructions, il fit demi-tour et prit la direction du rivage. Il avançait assez lentement pour lui permettre de le suivre à un mètre de distance mais une fois qu'ils eurent pied, il s'arrêta, fronça les sourcils et regarda autour de lui comme s'il était perplexe ou hésitant. Ils s'arrêtèrent et se firent face, lui avec de l'eau jusqu'à la taille, elle jusqu'à la poitrine. Il la prit par le menton et lui inclina la tête en arrière comme pour examiner son visage. Dans ses yeux clairs semblait passer une ombre qu'il projetait sur elle. Il l'embrassa — un autre baiser froid et salé — puis il marcha vers la plage d'un pas traînant. Elle se hâta pour le précéder et aller lui chercher ses cannes.

— Non, pas la peine, dit-il d'un ton irrité.

Il gagna le bateau, se hissa et se laissa tomber dedans.

— Sois gentille, va me chercher une cigarette, dit-il. J'en meurs d'envie.

Quand elle revint avec tout leur matériel après s'être rhabillée à la hâte, il était assis à l'arrière scrutant l'horizon avec des jumelles qu'il lui offrit et qu'elle refusa avec une moue maussade. Il se mit à siffler tout en poursuivant son exploration géographique d'un air extrêmement intéressé. Elle s'affaira avec son peigne, son rouge à lèvres, sa poudre et sa crème solaire. Enfin, elle baissa le bord de sa capeline pour cacher son visage attristé. Ils étaient assis côte à côte dans un éloignement silencieux.

— Pourquoi, dit-elle enfin, pourquoi les hommes aiment-ils tellement regarder à travers ce maudit instrument ?

— Je ne me le suis jamais demandé, répondit-il doucement. Cela te déplaît ?

— Je vais te le dire pourquoi : c'est parce qu'ils détestent regarder ce qui se passe sous leur nez.

Il eut un bref éclat de rire, posa l'objet du litige, puis il déclara d'une voix changée :

— Peut-être que je commence à ne pas pouvoir ressentir la joie de te regarder à cause du peu de temps qui nous reste.

Sentant qu'elle ravalait sa salive, il poursuivit froidement :

— *Ne pleure pas.* Je suppose que tout a été une erreur.

Elle protesta avec véhémence, désespérant de forcer le rempart de sa façade de marbre. Au bout d'un moment, il poussa un profond soupir, lui passa un bras autour de la taille et murmura :

— Je ne voulais pas que cela nous dépasse.

— Que ce soit aussi important ?

Il fit un signe affirmatif.

— Mais c'est important.

— Il semble que oui.

— C'est ce qui compte, n'est-ce pas ?

— Je n'aime pas être irresponsable.

Elle leva la tête pour scruter son visage grave.

— Tu m'as presque alarmée. D'aussi loin que je m'en souvienne, personne ne m'a jamais rien dit de pareil.

— Ne le dit-on plus ? demanda-t-il sur ce ton doux qu'il adoptait parfois. Est-ce démodé ? Je mène une vie si retirée...

— Peut-être que je n'ai pas eu de chance ou que je suis mal tombée. C'est plus probable.

— Je ne sais rien de ta vie.

— Tu veux la connaître ?

— Si tu veux me la raconter.

Son passé remua en elle, amorphe, voilé ; rien n'émergeait nettement, ni contours définis ni formes consistantes.

— Elle n'a été ni très intéressante ni mouvementée. Personne n'a jamais eu lieu d'être fier de moi. Je pense énormément aux gens. Autrement, la seule chose à laquelle j'ai beaucoup rêvé, c'est...

Il l'interrogea du regard ; elle reprit un peu honteuse.

— Le bonheur. Le bonheur personnel. C'est à cela que je croyais. C'est cela que je poursuivais.

— Eh bien ! quel mal y a-t-il ? Qui désire le malheur ?

Il semblait bienveillant mais réservé.

— Oh ! mais le mettre en tête de la liste des préoccupations, c'est honteux et ridicule. N'importe qui te dira que ce n'est qu'un sous-produit de... du succès ; ou si, tu as l'âme noble, c'est servir l'humanité. Moi, je voulais simplement un mariage merveilleusement heureux et des tas d'enfants.

Il réfléchit.

— Ce n'est pas là une ambition tellement démesurée... c'est sans doute ce que des millions de femmes désirent... même de nos jours... Mais tu n'y crois plus ?

— Regarde-moi donc.

Il obéit en souriant doucement. Elle continua, le visage baigné de larmes.

— Si tu savais comme j'ai peur.

— Peur de quoi ?

— De... quelque chose au sujet de mes proportions.

— Je ne vois rien qui cloche là-dedans.

— Je parle de mes proportions internes. Et je ne puis les modifier.

— Tu ne veux pas dire que tu es dingue ou quoi ?

— Ne plaisante pas. Je croyais que l'amour était ce qui existait de plus important dans la vie de tout le monde mais c'est faux. Je l'ai compris il y a longtemps. Bien des gens peuvent se contenter d'une petite parcelle d'amour — et encore. Ce ne sont pas des individus sympathiques mais ils fonctionnent. Moi, je ne peux absolument pas. *Je ne peux pas* vivre sans amour, sans être aimée et amoureuse. Et toi, tu peux ?

— Je peux, murmura-t-il. Je te l'ai dit : je ne suis ni aimant ni aimable.

Il baissa la tête, grattant machinalement une boursouflure sur la couche de peinture des planches.

Il y eut un long silence mélancolique, impénétrable qu'elle se décida finalement à rompre pour dire d'un ton hésitant.

— Quand je suis arrivée ici, jamais je n'avais eu aussi peur de ma vie. J'étais *absolument* terrifiée. D'un instant à l'autre, j'étais sortie de la condition humaine telle que je la voyais. Je n'avais pas d'avenir. A part le désespoir, je ne croyais plus à rien. Je suppose que j'avais toujours imaginé qu'en dépit des échecs je resterais dans le camp des vainqueurs. J'ai appris maintenant ce que ressentent les parias, les exilés : c'est positif, je pense.

— Oui, dit-il, c'est positif.

— Tu sais ce que c'est, toi aussi ?

— Ce que c'est quoi ? demanda-t-il d'un ton circonspect.

— De ne pas être dans le camp des vainqueurs.

— Naturellement. C'est mieux. C'est plus sûr. On peut se débrouiller très bien.

Il rejeta la tête en arrière et l'étrange son syncopé qui tenait du gémissement et du rire s'échappa de sa gorge.

— Mais je ne suis dans aucun camp. Je ne prends pas part à la lutte.

— Tu veux dire que tu n'es pas cupide... C'est ce que je sens quand je suis avec toi. Cela me change agréablement.

— Ne va pas t'imaginer que j'ai fait un effort désintéressé pour te rendre heureuse cette nuit, dit-il sur un ton plus léger.

— Et toi, ne va pas croire que j'étais désintéressée moi-même.

— Quoi qu'il en soit, dit-il, d'un air satisfait, tu m'as rendu infiniment heureux.

— Tu me le jures ? Tu n'espérais pas... tu ne pensais pas que j'étais une autre ?

— Ne dis donc pas de sottises, protesta-t-il avec indignation. Comme si je pouvais penser que tu es une autre ! Comme si je le désirais !

— Tu dis qu'il y a longtemps que... euh... tu n'as pas eu une femme dans ton lit.

— C'est la vérité. Quel mal y a-t-il à l'avouer ? Crois-tu que n'importe quelle poupée aurait fait l'affaire ? Louis aurait exploré les îles pour m'en amener un assortiment si j'en avais manifesté le désir. Il y a des quantités de belles filles à Port-d'Espagne — noires, brunes, blanches, de toutes les couleurs. Oh, que *vais-je* faire de toi ? Tu es vraiment trop sotte. (Il la secoua puis il se radoucit et lui caressa la joue.) Allons, il n'y a pas de quoi pleurer.

— Je ne pleure pas. Si je pleurais, ce serait de bonheur.

— Ah ! il n'est pas question de bonheur. Ne l'oublie pas.

— C'est une chose merveilleuse, vraiment merveilleuse. Il est venu à l'instant même où je t'ai vu.

— Ce soir où tu étais tellement ivre ?

— Ce n'est pas vrai, je n'étais pas ivre du tout. Je ne le suis jamais. C'est toi qui l'étais...

Il la ramena au niveau du flirt joyeux en la taquinant gentiment comme si le temps leur appartenait. Un double écho la traversa de nouveau : la voix d'Ellie évoquant avec regret tellement plus qu'elle ne pouvait en espérer : « *Je les entendais rire ensemble. C'était absolument charmant.* » Elle pensa à Sibyl Anstey sans envie ni rancœur ni malaise, admettant avec compassion le bien-fondé de sa prétention à être reconnue, respectée dans le monde qu'une partie de l'être essentiel de Johnny habitait et dans lequel elle avait mérité d'entrer désormais elle aussi — monde païen, adorable : jeune homme enchanteur possédant le don divin du rire maintenu intact sous la cuirasse dont il s'enveloppait.

Comme s'il suivait le fil de sa pensée — une sorte de faible miroitement dans son esprit — il reprit :

— Mais tu dois voir que je suis un être auquel on peut très bien résister. Je ne comprends pas que tu m'aies permis toutes ces libertés.

— Pas à des fins de thérapie — comme tu sais qui — je te le jure. Je crois que c'était surtout de la curiosité... comme toi en sens inverse. Je voulais voir si je pouvais te faire cesser de sourire.

— Tu n'aimes pas mon sourire ?

— Il était tellement poli. Il me remettait à ma place. Je voulais savoir s'il y avait quelque chose pour moi derrière ce sourire. Remarque que je ne critique pas tes dents. Elles sont absolument splendides. Un vrai plaisir à voir.

Il prit un miroir de poche dans le sac d'Anonyma et les examina.

— Elles sont bien, admit-il. Dieu sait ce que je ferais si elles commençaient à tomber. Crois-tu qu'un dentier en or serait séduisant ? Mais tu les as offensées. Je ne te sourirai plus jamais.

— Tu ne pourras pas t'en empêcher. Oh, mon chéri, comment pourrons-nous affronter la soirée d'Ellie ? Tout le monde va se rendre compte de ce qui s'est passé. C'est évident. Staycie va-t-elle penser que nous sommes un *véritable régal*.

— Je n'irai pas à la soirée.

Dans le silence qui s'ensuivit, l'avenir surgit menaçant comme le museau d'un requin émergeant au milieu de vagues joyeuses.

— Non, murmura-t-elle, non, nous ne pourrions pas le supporter, n'est-ce pas ? Mais comment vais-je m'en sortir ? Et Ellie va avoir tant de peine.

— Je n'y peux rien. Je la verrai bien assez après ton départ.

— Quand je serai partie, que feras-tu ?

— Ce que je fais d'habitude sans doute : je vais nager, jouer aux échecs, aller à la pêche, manger, boire, dormir, mener une vie chaste, ajouta-t-il en essayant de prendre un ton insouciant.

— Je te manquerai ?

Il ne répondit pas, avala sa salive et demanda après un silence :

— Et toi ?

— Tu veux savoir si tu me manqueras ? Pour l'instant, je ne vois pas comment je pourrai supporter de te quitter. Il me semble que tu es devenu ma vie.

Il secoua vivement la tête puis il questionna sèchement :

— Ce type dont tu m'as parlé... es-tu... veux-tu toujours l'épouser ?

— Tout ce qui m'intéresse à présent c'est de savoir pourquoi... ce qui s'est passé, répondit-elle lentement. Effacer cet énorme point d'interrogation. C'est comme si j'étais bloquée par un gigantesque tronc d'arbre tombé en travers de la route, impossible à déplacer ; ses racines arrachées se dressent comme des serpents ; la terre saigne, couverte de choses rampantes moribondes. Que fait-on d'un arbre abattu qu'on connaît et qu'on aime depuis longtemps ? On ne peut le replanter ; il faut l'ôter de son chemin. Je ne pouvais imaginer comment. Cette idée même semblait inconcevable. Mais maintenant, il me semble que je suis passée par-dessus grâce à toi.

Elle pensa qu'elle aimerait surtout voir... ce type malade, ruiné, anéanti pendant qu'elle s'éloignerait en riant, mais Johnny serait peut-être choqué par des sentiments aussi vindicatifs. Il semblait enclin à l'impartialité, peut-être même à une certaine solidarité masculine de la dernière minute en déclarant posément :

— J'espère que tu oublieras tout cela quand tu le reverras.

— Je ne veux pas le revoir sauf, comme je te l'ai dit, pour lui demander des explications.

— Il te donnera probablement une réponse satisfaisante.

— Tu l'espères ?

— Oh, je n'espère rien du tout, dit-il avec une indifférence voulue. Ce qu'il peut dire ou faire... Je veux simplement que tu sois heureuse.

Dominant son envie de répondre : « Ce n'est pas une façon de parler », elle essaya de se montrer aussi raisonnable que lui.

— Qu'appelles-tu une réponse satisfaisante ? « Un événement imprévisible s'est produit et je n'ai pu mettre mon projet à exécution... » « Ma femme a eu une dépression nerveuse... » « L'un des enfants s'est cassé la jambe... » « J'ai découvert que je ne t'aimais plus... » « Je suis tombé amoureux d'une autre. » Il est possible que l'une de ces réponses soit vraie. Il se peut aussi qu'aucune ne le soit. A moins qu'il n'ait dû partir subitement à l'étranger pour son travail.

— Quel genre de travail ? demanda-t-il avec une pointe de curiosité dans la voix.

— Je ne sais pas. Il est journaliste... indépendant maintenant ; il est correspondant spécial pour une revue que tu ne connais sûrement pas. C'est pourquoi il se rend de temps en temps à l'étranger, d'après ce qu'il m'a dit. Je me demande parfois ce qu'il fait exactement, s'il n'est pas agent de renseignements.

— Tu penses qu'il pourrait être un espion ?

— Quelque chose dans ce genre ; cela correspondrait assez bien à certains traits de son personnage qui me déconcertent : sa façon de regarder les gens droit dans les yeux tout en esquissant une sorte de pas de côté — verbal — compliqué qui ne frappe qu'après coup.

— Pas très catholique, grommela-t-il. Puis il ajouta après une pause : — Naturellement, je ne peux pas juger mais je trouve cette liaison plutôt regrettable.

— Tu as raison, répondit-elle tristement. C'était une erreur. Je ne puis en vouloir qu'à moi-même pour m'être lancée dans cette aventure... et m'y être accrochée. Il me jurait toujours... je croyais qu'il le pensait vraiment.

— Qu'il pensait quoi ?

— Qu'il ne pouvait se passer de moi. C'est un garçon très brillant — et charmant — et le contraire d'ennuyeux. Quand j'ai fait sa connaissance, il était le grand séducteur — non pédéraste — en circulation, avec une réputation un peu scandaleuse. Tu ne te rends peut-être pas compte que les hommes de ce genre sont des oiseaux rares à notre époque. Les filles doivent se lever de bonne heure pour en trouver. J'étais très flattée qu'il tombe amoureux de moi. Au bout de quelque temps, nous avons eu quelques querelles, mais nous nous sommes toujours réconciliés. Je lui avais promis... il m'avait fait promettre d'attendre qu'il soit libre.

— De t'épouser ? Vous deviez vous marier aussitôt qu'il serait libre ?

— C'est ce que je croyais... en tout cas, c'est ce qu'il me laissait entendre au début mais il y avait toujours un obstacle insurmontable qui surgissait pour l'empêcher de se libérer. Alors, il me demandait d'attendre et encore d'attendre et d'avoir confiance en lui — et c'est ce que je faisais. Enfin, la question n'est pas revenue sur le tapis... et j'ai commencé à me dire que c'était très bien ainsi... qu'il valait mieux que nous ne soyons pas toujours ensemble. Cela rendait les promesses, la confiance et la fidélité plus difficiles donc plus méritoires, plus importantes moralement. Ensuite, je ne risquerais pas de l'ennuyer — il s'ennuie facilement. Enfin, chacune de nos rencontres resterait intéressante, stimulante, revivifiante. Il y a six mois, il m'a dit subitement : « A force de tirer sur la corde, elle finit par se casser. » Je lui ai demandé s'il entendait par-là qu'il était las de moi et de la situation. Il m'a répondu que non mais qu'il sentait que *moi*, je m'éloignais de lui. J'ai riposté que c'était stupide, mais que le moment était venu pour lui — pour nous — de changer notre mode d'existence une fois pour toutes.

— Que voulais-tu dire ?

— Décider de rester ensemble ou de nous séparer. Il a répondu que sa décision était prise : nous devions rester ensemble, mais il fallait que je lui laisse du temps. Il est parti et je ne l'ai pas revu pendant plusieurs semaines, pourtant je me sentais calme et confiante. Tu vois à quel point, j'ai pu être idiote. Ensuite, il est revenu, plus amoureux que jamais. Il m'a annoncé que tout était réglé, qu'il avait brûlé ses vaisseaux et tout raconté à sa femme. Il n'hésitait plus. Il m'a exposé son beau projet... Tout paraissait tellement solide, si soigneusement organisé... Puis, il est reparti — pour quinze jours en disant qu'il avait une foule d'affaires à régler. Nous devions nous retrouver — à Bristol. Pendant tout ce temps, j'ai vécu comme une somnambule. Je m'en rends compte maintenant que j'y pense : j'éprouvais constamment le sentiment étrange que rien n'était réel... que j'étais prise dans une toile d'araignée. Tu sais le reste. (Il hocha gravement la tête.) J'en suis venue à la conclusion qu'il n'a jamais eu l'intention de se libérer. Cela faisait partie de la farce... du jeu dangereux. Je suppose qu'il s'amusait ainsi avec d'autres, peut-être avec sa femme, Dieu sait qui encore, quelqu'un ou quelque chose dont je n'ai aucune idée.

Il semblait tellement absorbé par ses réflexions qu'elle lui demanda brusquement :

— M'as-tu écoutée, Johnny ?

— J'étais tout oreilles.

— Alors, qu'en dis-tu ?

Il haussa les épaules, posa son regard sur elle puis le détourna.

— Rien, je n'en dis rien, répondit-il sur un ton profondément dégoûté.

— Ce genre de cauchemar semble courant de nos jours. Peut-être sommes-nous tous enfermés dans une toile d'araignée.

— Je le crois volontiers.

— Oui, tu as dit quelque chose à propos de milliers de gens qui auraient le mal du pays d'ici peu. C'est ce que tu crois ?

— Plus ou moins. Dans un sens.

— Et Ellie a dit : « Le cœur du monde est brisé. »
C'est une autre façon d'éprouver la même chose. Pas
la tienne, naturellement. Tu n'as que faire des cœurs.

Il esquissa un sourire contraint et amer. Il prit ses
mains et les regarda avec attention.

— Que dois-je faire ? dis-le-moi.

— Comment pourrais-je te le dire ?

— Tu as déclaré que tu n'aimais pas être irresponsable, risqua-t-elle en tremblant.

— Je pense que tu devrais te marier et avoir un
foyer, dit-il comme s'il était mis au pied du mur.

— Oh... C'est vraiment ce que tu penses ?

— Tu épouserais quelqu'un d'ennuyeux peut-être,
qui ne serait pas gêné par tes chamailleries.

Elle se tourna impétueusement vers lui en prononçant son nom avec désespoir. Ils se regardèrent dans
les yeux.

— Non, mon amour, dit-il enfin. C'est impossible ;
comment veux-tu ? Je ne suis qu'un accident dans le
temps.

— Tais-toi, tu es toute ma raison de vivre à présent.
Ne te moque pas de moi.

— Je ne me moque pas, murmura-t-il d'une voix
étranglée.

— Pourquoi sommes-nous ensemble ici ? Pourquoi
m'as-tu emmenée dans ce coin ? Qu'avons-nous prouvé
depuis que nous nous sommes rencontrés ?

Il secoua la tête d'un air déconcerté.

— Que nous nous appartenons, que nous acceptons
tout l'un de l'autre. Quand je m'en irai, je t'emporterai
avec moi, je resterai ici avec toi, tu le sais, n'est-ce
pas ?

Il hocha la tête et poussa un profond soupir.

— Nous devons réfléchir, nous devons réfléchir.

Il n'avait pas dit « je dois réfléchir » comme il l'avait
fait auparavant.

— D'ailleurs, je vais avoir un enfant.

Il la regarda médusé.

— Un enfant de toi, naturellement.

— Comment « naturellement ». Comment peux-tu le savoir ?

— Je ne le sais pas mais j'en suis certaine. Cette nuit, pendant que tu dormais, je me suis dit : « Maintenant, j'ai conçu un enfant. » Tu ne l'as pas pensé ? Tu aurais dû. (Il se rembrunit.) Ne prends pas cet air soucieux. Moi. j'y ai pensé. Tu as entendu parler des risques calculés ? J'ai pris des risques.

— Que tu es imprudente, dit-il, stupéfait et admiratif.

— Tu es content ?

— Très content. Je veux dire que je le serai si...

Une vive rougeur lui colora le visage.

— Je t'ai dit qu'il n'y avait pas de « si ». Veux-tu que je t'envoie de mes nouvelles ?

— Je l'espère bien. Qu'est-ce que tu t'imagines ? dit-il d'un air indigné.

Puis, soudain, ses traits s'altérèrent. Il parut gêné.

— Tu me faisais une proposition ? reprit-il. Que proposes-tu ?

— Qu'est-ce que tu soupçonnes ?

Une fois de plus, elle obéit à une impulsion comme si, d'un passé lointain surgissait le souvenir d'une zone dangereuse existant en lui. Il alluma une cigarette et lui lança un coup d'œil qui pouvait exprimer le regret ou la méfiance.

— Que je vais me faire épouser précipitamment dès que je serai rentrée ? enchaîna-t-elle. Tu ne serais pas content, n'est-ce pas, que je me hâte de revenir ici enceinte pour que tu fasses de moi une femme respectable ?

— Non, pas vraiment.

Une pensée inexprimée le poussa à secouer la tête puis à se laisser secouer par une crise de fou rire silencieux. Il prit sa main et lui dit doucement :

— Ma chère petite fille, tu ne supposes tout de même pas que je vais te laisser traverser cette épreuve toute seule. J'irai te rejoindre. Je partirai pour l'Angleterre.

— C'est vrai ?

— Bien sûr, j'irai m'occuper de toi.

Il leva la tête et scruta l'horizon comme si enfin le signal qu'il attendait était apparu — son visage était ouvert à présent, serein, baigné par le rayonnement de la lumière, de l'air et de l'eau. Elle dégagea sa main et la posa sur le cœur de Johnny, imaginant — ou n'imaginant pas — qu'elle pouvait le sentir battre comme un réveil dans sa propre poitrine, osant à peine le regarder, maîtrisant le flot de sensations violentes qui montait en elle : espoir, peur... angoisse soudaine.

— Pas par le sentiment du devoir ? risqua-t-elle.

— Ne sois pas stupide.

— Et ne vas-tu pas me soupçonner de t'avoir tendu un piège ?

Il éclata de rire.

— Ou bien est-ce l'inverse ? Disons que nous nous sommes tendus un piège mutuellement.

— J'avais peur que tu ne me dises de m'en débarrasser.

— Grands dieux ! s'exclama-t-il d'un air profondément dégoûté.

— Je ne me suis jamais fait avorter, mais la plupart de mes amies l'ont fait.

— Tu as de bien mauvaises fréquentations.

Il ne plaisantait qu'à moitié : il était porté à croire que de tels actes étaient méprisables, sordides. Elle devait faire attention à ne pas heurter sa sensibilité. Elle le contempla les yeux remplis de larmes de joie. Elle voyait en lui non seulement l'homme qu'elle aimait mais le symbole d'une espèce rare en voie de disparition : un homme avec des sources d'orgueil et de confiance viriles sans complications. Sa virilité retrouvée le réjouissait naturellement. Ce qui lui semblait inhabituel dans son expérience, c'était la fierté et la satisfaction de mâle qu'il éprouvait à l'idée qu'il était capable de procréer. Eperdue d'admiration, elle se dit que le bébé était déjà désiré et accueilli avec joie, qu'elle était elle-même appréciée pas seulement pour sa propre personne mais en tant que réceptacle de l'enfant. Au bout d'un moment, il dit solennellement :

— Anonyma, veux-tu m'épouser ?

— Je le veux.

Silence.

— Et maintenant, je dois te ramener, dit-il.

Comme à un signal donné, une vague puis une autre, suivie d'une autre accourant de nulle part, vinrent rider la paisible surface de la baie et allèrent éclater contre le bateau, le soulevant de son lit de sable.

— Un vrai soulèvement, murmura-t-il. C'est sans doute un vapeur qui passe.

Il mit le moteur en marche et ils glissèrent vers le large. En se retournant pour jeter un dernier regard sur le rivage dentelé, le bois de bambous et la cascade, elle s'aperçut qu'une autre silhouette apparaissait à côté de la vache blanche encore visible : celle d'un jeune garçon noir, grand et mince, vêtu de guenilles. Sa tête et ses traits étaient d'une beauté sculpturale. Parfaitement immobile, il tenait une longue perche en bambou comme un bâton rituel. Il portait sur la tête une sorte de coiffure posée de guingois. Etait-ce une couronne de fleurs et de feuilles ? Mais la distance augmentait ; la surprenante silhouette parsemée de taches de soleil disparut brusquement.

Pendant le voyage de retour, la perspective de la redoutable soirée d'Ellie occupa leur esprit. Johnny répéta qu'elle ne devait pas compter sur sa présence. Ce serait une réception à grand tra la la. Tout le monde serait là y compris Tony de Pas, Jackie et sa bande. Mais, aux alentours de minuit, elle se faufilerait dehors pour aller à la cabane. Il avait quelque chose à lui donner. Après quoi, il irait à la pêche avec Louis dans une barque à rames. Ils resteraient en mer toute la nuit et sans doute le lendemain. A minuit, sonnerait l'heure des adieux.

— Mais pas un adieu de longue durée, Johnny. C'est sûr ? Nous ne sommes pas fous, n'est-ce pas ?

— C'est sûr, nous ne sommes pas fous.

— Mais supposons...

— Il n'y a rien à supposer. Tu n'as qu'à attendre. Fais-moi confiance. Je viendrai.

— Nous nous écrirons.

— Naturellement.

Mais son sourire et sa voix ne semblaient pas l'inclure complètement.

— Un sou pour connaître tes pensées, dit-elle.

— Je me demande où il serait agréable de vivre. Aimes-tu le Norfolk ? J'adore la côte du Norfolk ou le Yorkshire. C'est une idée en l'air, ajouta-t-il en se tournant avec un charmant sourire indécis.

Une idée en l'air... Il ne la questionnait pas vraiment. Il n'étaient pas fous, se répétait-elle intérieurement, ni sentimentaux ni puérils ni romanesques. Elle était sortie du labyrinthe dans lequel elle avait si longtemps erré, suivant les objets et les expériences de l'amour le long d'impasses et de dédales. Pour lui qui se considérait comme un accident dans le temps, la libération de la tombe du temps était un fait accompli. Ils se trouvaient ensemble dans un pays vert, à l'air libre.

Louis attendait sur le rivage pour les accueillir. Le laissant en de si bonnes mains, elle courut sur la plage et grimpa les marches de pierre entre les buissons d'hibiscus comme portée par des ailes. A mi-chemin, elle s'arrêta pour reprendre haleine et contempler un oiseau-mouche — incroyable chef-d'œuvre émeraude, étincelant, vrombissant, se détachant sur une guirlande de fleurs et explorant attentivement à cinq centimètres de son nez.

Princesse descendait nonchalamment, ravissante
dans un corsage magenta et une jupe longue bleue et
violette. Elle portait les lampes au bungalow un peu
plus tôt que d'habitude. Cette fois, son sourire était
radieux.

— Tu es magnifique, Princesse, dans tes plus beaux
atours.

— Oui, Mam'selle. Je vais servir à la soirée. Peut-
être qu'on vous fera une jolie guirlande demain pour
votre voyage. Je vous amènerai mon bébé pour vous
dire au revoir.

— Oh oui, Princesse. J'aimerais le voir.

— J'ai pensé que peut-être, vous seriez contente de
l'emmener avec vous en Angleterre.

— Je ne crois pas, Princesse. L'Angleterre est un
pays froid. Il n'y a pas toujours du soleil. Ta petite
fille tomberait malade.

— Mais vous avez beaucoup de châles pour la
réchauffer.

— Tu ne veux donc pas la garder, Princesse ?

— Pas tellement. J'aurai tous les bébés que je veux.
Beaucoup trop. (Elle parut mécontente.) Pourquoi
vous n'avez pas de bébés, vous ?

— J'en aurai peut-être.

— Peut-être !

Elle posa sa lampe en éclatant de rire, cueillit un
hibiscus blanc, le tendit comme pour l'offrir puis
elle se ravisa brusquement et se le piqua derrière
l'oreille.

— Charmant. Tu es une jolie fille, Princesse.

— Oui, oui, dit-elle en se dandinant, mais vous êtes
plus jolie, vous la beauté.

Elle évalua du regard l'unique bague de la visiteuse,
une topaze rose qui lui venait de sa grand-mère. Il
valait mieux qu'elle coupe court et continue son che-

min, poursuivie par le rire en cascade de Princesse qui, entre deux gloussements, lança d'un ton plaintif :

— Et vous me souriez toujours. Quand je suis insolente, vous ne dites pas que je suis méchante. Quand vous partirez, mes larmes vont couler.

Vêtus avec une élégance époustouflante, Kit et Trévor viennent la chercher pour l'accompagner à la soirée d'adieux. Elle porte sa plus jolie robe — mousseline blanche avec des impressions légères de roses et de feuilles vertes — pour faire honneur à ses hôtes. Ils arrivent parmi les premiers et trouvent le capitaine assis tout seul à l'extrémité de la véranda. Il mélange des cocktails et les prépare avec un air de profonde concentration qui semble dire : gardez vos distances. Entre ses paupières bouffies et ses joues couleur prune, ses yeux ont presque disparu. En robe de taffetas orange, Miss Stay émerge de la chambre avec Ellie et se met au garde-à-vous derrière sa chaise. Etroitement moulée dans une robe d'hôtesse bleu marine, Ellie, très en forme, va d'un invité à l'autre et jette de temps en temps une remarque dans la direction de son mari mais ne s'approche pas de lui. Dix heures. Encore deux heures à passer. En attendant, un fragment, un semblant de vie au milieu d'êtres d'un autre ordre doit subsister tandis que le bien-aimé absent donne à la soirée sa signification inexprimable. Elle est deux personnes distinctes : l'une est surface lisse, l'autre un abîme insondable.

Le couple du Lancashire est arrivé ainsi que Jackie avec les infirmières et leurs compagnons. Le jeune Mr de Pas fait une entrée bruyante en criant « Houhou ». Plus tard peut-être se laissera-t-il persuader de donner une séance d'imitations. Quelqu'un met le gramophone en marche. Elle danse avec Kit puis avec

Trevor. Tous deux sont pleins d'entrain, excités par la perspective d'un changement, d'un voyage ; ils se réjouissent à l'idée de profiter de sa compagnie. Comme d'habitude, le jeune Mr de Pas ignore totalement son entourage. Regardant droit devant lui avec ses yeux saillants, fixes comme des boules de loto, il tourne autour de la salle avec Jackie en ralentissant pour l'exécution de figures de danse compliquées. Ses épaules fragiles, sa tête archaïque et sa figure au teint terreux se dressent, rigides, au-dessus du visage de sa compagne. Avec ses traits flétris, elle a le type parfait de l'institutrice anglaise sans âge. Couple bizarre. Ils sont excellents danseurs ; ils évoluent ensemble dans une parfaite harmonie de rythme. Etrange, très étrange. Qui aurait pensé en la regardant qu'elle pouvait glisser avec cette souplesse, cette grâce soyeuse. Elle a un teint coloré, des traits durs, aigus, saillants, des cheveux châtain mal peignés et des dents qui avancent, mais elle a de jolies jambes athlétiques, de beaux yeux — grands, très bleus sous le trait doré de ses sourcils foncés, un regard direct. Elle le pose sur Anonyma sans curiosité, sourit gentiment. Pas une mauvaise fille cette Jackie. Elle s'est installée dans une certaine forme de vie : danser éternellement avec Tony de Pas — peut-être aussi veiller sur sa santé désastreuse ; coucher avec lui vraisemblablement.

Madge et Phil ont dragué chacune un cavalier replet, huileux, aux cheveux noirs comme du jais et elles dansent avec lui joue contre joue. Ellie s'est dirigée vers Mr Bartholomew avec un whisky corsé ; elle s'assied à côté de lui et lui tient la main. Cependant, elle continue à paraître anxieuse. Son regard erre sans cesse dans la direction du capitaine puis se pose sur Miss Stay.

Le couple du Lancashire s'approche. Il salue ; Miss Cropper dit avec un sourire radieux :

— Mr Crowther serait très honoré que vous lui

accordiez la faveur d'une danse. Vous n'aurez qu'à fredonner, ajoute-t-elle d'un ton encourageant. Il saisira l'air.

Mais il ne saisit rien du tout ou bien elle ne sait pas fredonner comme il faut. Toujours est-il qu'après quelques pas hésitants, ils renoncent d'un commun accord. Il l'a prise en amitié et tient sa grande main posée sur son bras pendant qu'ils se retirent au bout de la véranda. Presque aussitôt, d'une voix de basse monotone, il se lance dans le récit de sa vie, ses épreuves, ses tribulations, le drame de ses confrontations avec son père alcoolique.

— Je laissais la porte de ma chambre ouverte et quand je l'entendais rentrer, je criais : « Hypocrite, sale hypocrite, t'as pas le droit de vivre » — pensant qu'il m'entendait, vous comprenez. Le lendemain, il disait : « Tom, qu'est-ce que t'as mangé à dîner hier soir ? — Rien de spécial. — T'as pas eu de cauchemar ? — Pas du tout, que je répondais. J'ai dormi comme une souche. »

Mr Crowther s'arrête secoué par un fou-rire.

— Oh, je me rappelle une nuit en particulier. Il revenait de la taverne... saoul comme une barrique qu'il était. Il hurlait dans la rue : « Tom, sale morveux, sale petit morveux, je vais te faire passer le goût du pain. » Mais d'abord, il est allé aux toilettes qui étaient au fond du jardin. Je l'entendais hurler à l'intérieur et cogner à la porte en faisant un boucan à réveiller tout le voisinage. La porte était bloquée du dedans et il croyait que c'était moi qui la bloquais de l'extérieur. Oh ce langage ! — Qu'est-ce qu'il menaçait de faire à mon anatomie quand il serait sorti. Il s'est passé trois quarts d'heure avant qu'il ait pu enfoncer cette malheureuse porte et sortir en rugissant comme un taureau qui entre dans l'arène. Je m'étais recroquevillé dans mon lit, voyez-vous et je faisais semblant de dormir. Alors, le voilà qui monte. « T'as pas entendu ton pauvre vieux papa ? », qu'il me dit d'une voix toute plaintive en se penchant sur moi. « La ferme, que je réponds. Qu'est-ce qui te prend de me réveiller à cette heure de la nuit ? » (Nouvelle crise d'hilarité.) Pauvre vieux, le lendemain, il descend tout joyeux comme s'il ne s'était rien passé. « Bonjour, les enfants, qu'il a dit, bonjour les petits pigeons. » C'est comme ça qu'il appelait mes petits frères, Les et Reg — les jumeaux — pauvres mioches. C'est moi qui étais responsable d'eux. Je ne pouvais jamais le laisser seul, voyez-vous. Il s'amusait avec le manchon de la lampe à pétrole. Il voyait des têtes sur le tapis... pire que des têtes. Certains soirs, il s'asseyait près du feu et pleurait : « Si seulement ma pauvre Mary vivait encore, qu'il se lamentait. — Tais-toi donc avec ta Mary, que je disais. Elle est cent fois mieux où elle est. » C'était ma mère. Tout le monde riait. « Je veux aller la rejoindre », qu'il gémissait. Eh bien, son souhait s'est réalisé. Je ne crois pas qu'elle tenait tellement à le voir apparaître, pauvre mère. C'est drôle de penser que... il n'avait que quarante-quatre ans. Il avait été bel homme autrefois mais quelle calamité, pauvre papa.

Miss Cropper les a rejoints, elle écoute respectueusement puis explique gravement.

— Il a été emporté par une pneumonie. Rien de surprenant.

Puis elle raconte que Mr Crowther, orphelin à quatorze ans, avait tenu la maison, s'était occupé de ses petits frères et les avait aidés à se débrouiller dans la vie. Quelle enfance terrible que les luttes, quel exemple. Un homme absolument merveilleux en vérité. Ils vivaient ensemble depuis bientôt trente ans après que sa femme... mieux valait en parler le moins possible. Chaque instant de ces trente années avait été une bénédiction. Oui, oui vraiment. Miss Cropper et la visiteuse échangent un regard de sympathie féminine. Mr Crowther retombe dans la non-communication ; il arbore un air digne et satisfait. Poussé par une impulsion mystérieuse à raconter son histoire, il a atteint son but. Il est en paix. Soudain, ses yeux malins, enfoncés dans leurs orbites se posent sur elle avec une expression indéchiffrable.

— Vous me rappelez une petite que j'ai connue, dit-il brusquement.

Il la fixe du regard pendant un long moment.

— C'est vrai, dit Miss Cropper pour étayer ses dires par un témoignage concret, il a eu une fille.

Il pose sa lourde main sur l'épaule de sa compagne.

— Viens donc, mon petit.

Une fois de plus, ils s'engagent sur la piste, tournoyant ensemble sans accorder une attention très stricte à la mesure. Dévouement, pense la visiteuse, courage, fierté, simplicité et, par-dessus tout, humour. Aucun attendrissement sur lui-même. En évoquant sa jeunesse, il s'était mis à rire.

Elle décide d'aller tenir compagnie à Mr Bartholomew qui est assis tout seul, une bouteille près de lui, un verre dans la main.

— Mr Bartholomew !

Il ne répond pas. Jusqu'à quel point est-il aveugle et sourd ? Elle prend la chaise placée à côté de lui. Au bout d'un moment, les lunettes noires du vieillard se tournent vers elle et il dit :

— Admirée Miranda.

— Merci. Vous ne m'avez encore jamais appelée ainsi. (Elle s'enhardit.) Etes-vous un peu heureux ?

— Non. Quelle question stupide !

— Puis-je faire quelque chose pour vous ?

— Non, vous ne pouvez rien. A moins que... Il prend la bouteille et l'agite. Elle émet un glouglou rassurant. — Peut-être me tiendrez-vous compagnie ?

Elle refuse avec des remerciements chaleureux. Il murmure en français :

— *A nous autres, vieux, c'est la seule consolation qui nous reste.*

— Je m'en vais demain, Mr Bartholomew. Je retourne en Angleterre.

Pas de réponse. Le disque — un fox-trot assourdissant — s'arrête de tourner et, dans le silence relatif qui s'ensuit, il remarque :

— Quelle abominable cacophonie ! Cette musique me déchire les tympans.

— C'est très pénible. Vous préférez... un genre de musique plus classique.

— Oui. Vous êtes musicienne ?

— Pas vraiment. Je pianote.

— Vous ne m'avez jamais offert de jouer pour moi. Peu importe. L'instrument de la pauvre Clémentine est minable... dans un bien triste état. Quelle privation cruelle. Chopin... Chopin est ma grande passion. Puis il y a quelques chansons françaises. Sa voix tremble, s'éteint. Maîtrisant son émotion, il reprend :

— Daisy adore la musique.

— Tous ces poèmes que j'entendais de la chambre voisine de la mienne vont bien me manquer, dit-elle sur un ton léger dans l'espoir de l'égayer. Parfois, pas souvent bien sûr, je pense que j'aurais pu vous coller.

Après un silence, il répondit sur un ton mi-plaintif mi-amer :

— Ainsi, vous vous êtes moquée d'un vieillard sans défense. Vous avez épié ses distractions inoffensives en écoutant aux portes, en vous introduisant dans son intimité.

— Jamais de la vie, proteste-t-elle affolée. Je ne me suis jamais moquée, je n'ai jamais écouté aux portes (l'indignation monte). Comment pouvez-vous dire des choses pareilles ? Vous allez finir par me mettre en colère. Vous m'empêchiez de dormir. Vous étiez une calamité si vous voulez tout savoir. Et je ne me suis jamais plainte.

Il semble ravi, pousse des petits éclats de rire effrayants.

— Bien, bien ! Penser que j'ai eu pour public une jeune femme cultivée ! Vous auriez dû frapper. Qui sait ? J'aurais pu vous inviter à entrer. « Entrez donc, Madame, n'ayez pas peur, je respecterai votre vertu. Que puis-je faire pour vous ? — Eh bien, Monsieur, je suis venue vous coller. » Oh quelle nuit nous aurions pu passer en collage mutuel. Quel mot vulgaire ! A ce propos, j'avais un ami dans ma jeunesse. Nous fréquentions les bouges ensemble ainsi que certaines maisons privées où il était reçu avec enthousiasme. Il avait un don, voyez-vous...

Sa voix brisée s'éteint de nouveau. Il reste un moment songeur et reprend :

— Il s'appelait Frankie. C'était un personnage amusant qui avait assez mauvaise réputation. Un Juif, brillant musicien mais qui gaspillait son talent. Un conteur et un amuseur. Qui peut résister à un amuseur ? Il savait improviser... transposer dans n'importe quelle clé. Ah, don magique ! Il jouait ses propres compositions. Elles avaient un charme qui me fascinait ; un esprit décadent, ambigu... Il y en avait une en particulier... quel était donc l'air ? Il me revient chaque fois que nous observons certains couples au télescope, Daisy et moi. Vous ne saviez pas que nous avions un télescope ? Demandez à Daisy. Voyons qu'est-ce que c'était donc ?

Il commence à émettre un filet de sons d'une voix sans timbre.

« *Déambulant sur le rivage*
« *Nous avons échangé nos cœurs*
« *Insensés et insensibles.*

— Une ballade de salon... avec une certaine différence, explique-t-il. Voyons...

« *Aimait-il ou haïssait-il ?*
« *Etait-ce une simple affaire de caprice ?*

— Nostalgie, mélancolie, vous voyez. Le reste
m'échappe. Il y avait un soupçon de paillardise indigne de vos oreilles virginales. Un air facile à retenir,
subtil pour aller avec les paroles. Il continue à hanter
mon imagination. *Déambulant sur le rivage...*
— Qu'est devenu Frankie ?
— Il a mal tourné. Il avait un faible (il s'interrompt
pour remplir son verre) pour les garçons appétissants.
— Je vois. Pauvre Frankie (il est temps de prendre
congé). Au revoir Mr Bartholomew. Vous serez déjà
sorti avec Daisy quand je partirai demain matin. Fai-
tes-lui mes amitiés.
— Peut-être que oui peut-être que non. Où est Miss
Stay ? Par déférence pour nos bons hôtes, j'ai accepté
d'assister à cette réception ridicule mais assez, c'est
assez. Je suis plus que disposé à partir. Je vous serais
très obligé si vous pouviez trouver Miss Stay et l'en
informer.
— Entendu. Au revoir, Mr Bartholomew. Ne m'oubliez pas.
— Je vous aurai oubliée... voyons... après-demain.

Avant qu'elle n'ait gagné le coin du capitaine, Miss
Stay s'est vivement avancée en s'exclamant avec
enthousiasme.
— Ah ! notre rayon de soleil. Quel éclat extraordinaire ce soir ! Vous avez dû avoir une conversation
des plus intéressantes avec notre cher pensionnaire
permanent.

— Très intéressante. Je crains qu'il ne me déteste.

— Taisez-vous donc, ma chérie. Effacez cette pensée. Essayez de l'inonder de lumière et d'amour. Il en a besoin.

— Bon, j'essaierai mais je ne le trouve pas aimable.

— Vous n'avez pas tort. Il *ne déborde pas* du lait de la tendresse humaine. Raison de plus pour la lui dispenser abondamment afin de contrecarrer les choses auxquelles il est ouvert.

— A quoi est-il ouvert ?

— Aux forces obscures, dit Miss Stay en clignant de l'œil de sorte qu'elle a involontairement l'air de vouloir chuchoter une histoire égrillarde.

— Je suppose qu'à un certain moment notre ami est entré assez loin dans... dirons-nous les mystères ?... sans demander une protection, une recette pour les dangers terribles.

— Vous voulez dire qu'il est sorcier ? Eh oui, c'est possible... un méchant sorcier. Peut-être Daisy est-elle son esprit familier ?

— Chut, chut, *chut*, ma chérie. Une plaisanterie est une plaisanterie mais...

Miss Stay place une main parcheminée sur les lèvres de la visiteuse qui la prends et la pose contre sa joue en disant :

— Vous êtes un ange. J'espère qu'il n'est jamais odieux avec vous.

— Ça, par exemple, dit Miss Stay surprise et touchée. Moi, un ange ! Ce vieil épouvantail ? De quoi faire pleurer les anges, oui. Oh, je ne m'en fais pas... pauvre petite crevette tremblante de peur. Elle n'en a plus pour longtemps et elle va passer sans être prête. Il faut prier, ajoute-t-elle avec un autre clin d'œil involontaire. Et maintenant, je dois me dépêcher de le raccompagner chez lui. Au revoir, ma chérie.

Entraînée dans un fox-trot par Trevor, Ellie appelle :

— Anémone, allez bavarder avec Harold, vous serez

un amour. Il se sent un peu patraque. Rien de très grave.

— Harold ?

Elle se penche sur un tabouret à côté de son vieux fauteuil. Il esquisse un bref sourire mais il n'a pas l'air bien du tout.

— J'espérais que vous chanteriez ce soir.

Il porte sa main en cornet à son oreille.

— Excusez-moi, je n'entends pas très bien. C'est ce boucan infernal.

Elle répète sa phrase qui, à présent, semble singulièrement plate.

— Bon Dieu, non. Pour rien au monde. Personne ne veut...

Sa voix est traînante et légèrement pâteuse. Serait-il ivre ?

— Où est Bobby ?

— Parti en vadrouille. Je ne peux pas lui en vouloir. Pauvre vieux cabot, pauvre petit saligaud.

Le capitaine semble s'écarter de son code de savoir-vivre. Elle souhaite en vain un commentaire approprié de Miss Stay pour élever le niveau des vibrations basses. Elle prend sa main et la caresse... Encore une main flétrie dans la sienne, pense-t-elle : quel triste spectacle que la main impuissante d'un vieil homme.

— Cher Harold, je crains que vous ne vous sentiez pas très bien.

— Qui ? Moi ? Je me porte comme un charme. Merci tout de même. Je me suis senti un peu mal fichu tout à l'heure. Faut dire que je suis allé traîner hier soir... Jackie et ses copains. Madame ma femme est fâchée. Je ne lui en veux pas. Plus aussi jeune que je l'étais, ha, ha ! Rien de plus stupide qu'un vieil imbécile, hein ? Mais en pleine forme maintenant. Je m'amuse. Et vous ? demanda-t-il affectueusement.

— Oh ! oui. C'est si gentil à vous et à Ellie d'orga-

172

niser cette soirée. Vous vous donnez tant de peine pour vos hôtes.

— Pas du tout. C'est un plaisir. Ellie aime ça. En fait, ajouta-t-il d'un air pensif, la pauvre se sent bien seule. Nous avons tous de temps en temps l'impression d'être très seuls ici, vous savez. Elle n'est qu'une gamine.

— Vous allez me manquer tous les deux. Ellie a été si bonne pour moi. Vous avez été charmants tous les deux. Je n'oublierai jamais votre gentillesse. Je ne sais pas... je n'imagine pas du tout... ce que j'aurais fait sans vous.

Une boule s'était formée dans sa gorge.

— Ne parlons pas de ça. Vous nous manquerez aussi. J'espère que vous reviendrez une autre année.

Son visage se tord ; il allonge le bras pour prendre un verre. Il n'y en a pas à côté de lui. Il lance des regards furieux aux danseurs et fulmine :

— Où est-elle ? Avec qui danse-t-elle ?

— Qui ? Ellie ?

— Non, non, répond-il d'un ton irrité. Cette Madge.

Un instant après, Madge, l'infirmière brune à la bouche maussade et sensuelle, s'approche d'un pas traînant. Elle se tient devant eux avec une attitude caractéristique — épaules voûtées, tête pointant en avant, hanches se balançant langoureusement. Elle pose sur le capitaine un regard semi-professionnel et demande d'une voix chantante et nasillarde :

— Comment va Sa Seigneurie ce soir ? Il mérite une bonne fessée, ajoute-t-elle en fixant sur la visiteuse un regard hardi. Il nous a fait une de ces peurs !

Son attitude est un mélange de nonchalance et de complicité possessive.

— Prenez un siège, prenez un siège, crie le capitaine avec un entrain soudain. Je me porte comme un charme. Prenez un siège.

Faisant fi de la plus élémentaire correction britannique pour ne pas parler de courtoisie, il réussit par son expression déterminée à obliger la meilleure amie de sa femme à se lever pour céder sa place à l'intruse.

Ellie arrive, murmure « Anémone », la saisit par le bras et l'entraîne hors de la véranda dans sa chambre. C'est une pièce au mobilier rudimentaire : deux lits jumeaux austères placés dans l'ombre donnent à penser que l'érotisme est depuis longtemps absent de la vie conjugale. Ellie s'installe sur l'un des deux lits et fait signe à la visiteuse de s'asseoir à côté d'elle.

— Que pensez-vous de cette créature ? demande-t-elle à brûle-pourpoint. Je parle de cette Madge.

— Elle est horrible.

— N'est-ce pas ? Elle est *répugnante*.

— Si j'étais vous, je n'admettrais pas qu'elle mette les pieds dans la maison.

— Est-ce que je vais la flanquer à la porte ?

Ellie bondit sur ses pieds et se dresse de toute la hauteur de ses un mètre cinquante-cinq avec un air méprisant et hautain.

— Oh ! Némone, je suis inquiète. Je ne vous ai pas vue de toute la journée. Oui, je sais, je sais : Staycie m'a dit que Johnny voulait vous emmener à la pêche. Je suis très contente. Vous avez passé une bonne journée ?

— Excellente. — Elle se sent frappée de remords.

— Que se passe-t-il, ma chérie ? Est-ce que Harold ?

— J'aimerais bien le savoir ce qui se passe. Comment le trouvez-vous ?

— Eh bien !... plutôt fatigué.

— Il n'est pas du tout lui-même.

Elle va jusqu'à la coiffeuse, touche distraitement quelques objets et poursuit :

— Si vous voulez tout savoir, il n'est pas rentré cette nuit. C'est déjà arrivé. Je ne me suis pas trop inquiétée bien que j'en aie assez naturellement... Mais Jackie et Tony sont arrivés en coup de vent ce matin ;

je n'étais pas encore habillée. Je me doutais qu'il était allé faire la bombe avec eux ; écœurant, n'est-ce pas ? Je ne sais pas où ils vont. Pourtant Jackie n'est pas une mauvaise fille... et les hommes ont besoin d'un exutoire de temps en temps. Quoi qu'il en soit, devinez ce qu'elle m'a dit ? Que je ne devais pas m'inquiéter mais qu'il avait eu un petit *accroc*.

— Que voulait-elle dire ?

— Elle a déclaré que ce n'était pas une attaque mais une sorte de malaise... Après tout, elle est infirmière. Ils l'ont couché chez Tony — Tony est extrêmement excentrique mais il est bon ; et ils se sont relayés pour le veiller, y compris cette Madge naturellement. Son pouls et tout le reste étaient normaux. Il avait pris un petit déjeuner léger et il voulait rentrer aussitôt que possible. Il se tracassait pour moi, disait-elle... plus probablement pour Bobby à mon avis. Enfin, dans le courant de la matinée, Tony l'a ramené. Il avait l'air vaseux et il ne desserrait pas les dents... mais c'est assez courant. Il a dormi une bonne partie de la journée. Il n'a pas bu une goutte d'alcool mais je persiste à croire qu'il parle avec difficulté. Vous ne vous en êtes pas aperçu ?

Elle mentit en répondant qu'elle n'avait rien remarqué et ajouta :

— Ne parle-t-il pas toujours ainsi... de cette façon un peu saccadée et indistincte ? Je pensais que c'était la forme d'élocution habituelle des militaires britanniques. Une femme d'officier comme vous est trop habituée à l'entendre pour y prêter attention.

— J'espère que vous avez raison, s'exclama Ellie un peu réconfortée. C'est très probable. Il est vrai que je n'écoute pas toujours ce pauvre Harold, pas plus qu'il ne m'écoute lui-même d'ailleurs.

— Pourquoi ne pas lui faire passer un examen médical ? Il y a bien un médecin dans l'île ?

— Oui, c'est une idée. Il faudrait que je l'emmène

à Port-d'Espagne. Il y a un vague médecin là-bas mais il est toujours ivre. (Elle se poudra le nez, se remit du rouge à lèvres, fit bouffer ses cheveux.) Staycie l'a soigné ; elle dit que je n'ai pas à me faire de souci. Néanmoins, je ne veux pas que cette soirée se prolonge trop tard. Oh ! pourquoi n'est-ce pas cette garce qui s'en va demain et vous qui restez ? Qu'est-ce qu'elle peut bien lui trouver ? Bien sûr, elle est nymphomane. Savez-vous ce que je lui ai entendu dire avec son horrible voix mielleuse : elle s'intéresse toujours aux hommes d'un certain âge. Flatterie, voyez-vous... il avale tout. Il ne peut supporter qu'elle s'éloigne. Comme elle est infirmière et lui en mauvais état, je n'ose pas trop la mettre à la porte. Quels idiots ces hommes. (Elle prend une photographie sur la coiffeuse et la tend à son amie.) C'est maman. Prise quand j'avais six ans.

L'image représente une jeune femme au sourire charmant avec une coiffure edwardienne et une blouse de dentelle à col montant. Sa petite fille au visage encadré d'anglaises et vêtue d'une jolie robe à volants a la tête appuyée contre son épaule.

— C'est la dernière qu'elle ait fait prendre... le dernier portrait de studio d'art. Harold a pris des photos dans le jardin un peu avant la fin, mais je n'ai pas le courage de les sortir ; elles m'attristent tellement.

— Quel joli visage ! Et vous, vous n'avez guère changé.

— Comment pouvez-vous dire une chose pareille ? C'est vrai que j'étais une jolie petite fille. Harold m'appelait sa petite porcelaine de Dresde. (Elle scrute la photographie du regard avant de la remettre en place.) Je suppose qu'elle est bien loin maintenant, mais nous n'avons jamais vraiment perdu contact. Quand j'ai des ennuis, elle le sait avant que je ne le sache moi-même. (Elle reste songeuse, ses yeux bleus innocents se dilatent.) Vous vous rappelez, c'était dans les cartes.

— Les ennuis ?

Ellie fait un signe affirmatif.

— Mais *je ne dois pas* nourrir de pensées morbides. Je vais le dire une fois — à vous — puis m'en délivrer. Si Harold doit... descendre la pente petit à petit... rester handicapé... perdre l'esprit, se retourner contre moi — cela arrive vous savez — je ne sais pas comment je pourrai le supporter. (Elle s'affale de nouveau sur le lit et fond en larmes sur l'épaule de son amie.) Je me sens si seule.

Anémone la réconforte avec des mots qui viennent du cœur. Le visage d'Ellie s'éclaire ; elle se baigne les yeux, murmure quelques paroles d'excuses, reconnaît qu'elle a de la chance d'avoir Staycie pour l'épauler ; et puis, il y a Johnny. Quel bonheur d'avoir pour ami un homme aussi merveilleux. Elle dit que maintenant qu'elle a une véritable amie en Angleterre, elle économisera de l'argent pour le voyage et lui fera une longue visite.

— Oui, vous le promettez, répond Anémone.

— Et vous m'écrirez, n'est-ce pas ? Je sens dans mes fibres qu'une belle surprise vous attend quand vous serez rentrée. Ne manquez pas de me le faire savoir.

— Vous pouvez y compter.

Elle est prise d'une terrible envie de rire.

— Le Prince charmant, enfin. C'est ce que j'espère. (Elle prend un air songeur.) Vous savez, je crains que Johnny ne vous regrette.

— Oh ! je ne le crois pas...

— Oui. Vous lui avez apporté quelque chose. Je ne puis définir exactement ce que c'est, mais c'est un fait. On dirait qu'une lueur s'est allumée en lui. Je l'ai vu vous regarder... et vous taquiner.

— Il vous taquine aussi.

— Oui, mais pas de la même façon. J'ai même failli être jalouse de vous deux ou trois fois, je sais que c'est stupide. De toute façon, je vous aime trop tous les deux pour être jalouse. Je ne suis que trop contente quand je le vois heureux. Cette promenade en bateau d'aujourd'hui prouve à quel point il vous aime. Bien sûr, il ne montre guère ses sentiments... J'aurais tout de même bien voulu qu'il vienne ce soir. J'aurais cru que, pour notre dernière soirée... Ce n'est pas pareil sans lui. Sa présence confère une telle distinction... Allons bon, que peut-il bien se passer ?

Un bruit d'éclats de rire interrompt ce tête-à-tête. Tant mieux — juste au bon moment. La tentation de se confier à Ellie est devenue presque insurmontable. Elles se hâtent de regagner la véranda où les attend un spectacle bizarre : le jeune Mr de Pas s'est emparé d'une moustiquaire et s'en est drapé comme d'un vêtement hiératique. Son cadre circulaire en équilibre sur sa tête, ses amples draperies flottant et ondulant autour de lui, il exécute une danse noble au son d'un tango. Il évolue d'un bout à l'autre de la pièce comme un immense fantôme, faisant claquer ses doigts, tapant du pied, virevoltant pour s'arrêter finalement avec un profond salut. Apercevant Ellie, il s'avance vers elle d'un pas glissant, écarte ses voiles, l'attire dans leurs plis avec un geste théâtral et l'entraîne dans la danse. A présent commence une double représentation irrésistiblement comique. Ils avancent, reculent, se balancent serrés comme dans un fol enlacement nuptial. Mr Crowther s'esclaffe et se frappe les cuisses ; le capitaine lui-même, pris d'un fou rire, s'essuie les yeux. Les infirmières arborent une expression indifférente comme si elles déploraient cette conduite infantile. Jackie sourit avec indulgence. Enfin, Ellie se dégage d'un violent coup de talon et émerge toute rouge, échevelée, hors d'haleine. Elle court vers le capitaine dont Madge s'écarte en traînant les pieds.

Oh ! que c'est drôle. Impayable ce Tony ! Rejetant ses voiles, il s'avance pour saluer bien bas le capitaine, baise solennellement la main d'Ellie. Ils saluent ensemble les invités qui applaudissent à tout rompre. Il devrait faire du théâtre. Jamais de leur vie... Et cette Ellie... Quel talent caché... Superbe clou d'une soirée merveilleuse. Et maintenant, ils doivent prendre congé. Miss Stay qui a fini de s'occuper de son vieux pensionnaire, a réapparu pour précipiter leur départ. Ils sortent après s'être confondus en remerciements chaleureux. Miss Stay va coucher là, dans la chambre d'amis pour être à portée de voix le cas échéant.

Ellie est rassurée. Rien ne la menace. Sa couronne d'héroïne de la soirée s'est allégée sur sa tête. Bientôt, elle va se mettre à la besogne, tout ranger ; elle va siffler Bobby, dire bonne nuit à Joey réfugié sur le bord du toit. Mais, pour l'instant, en hôtesse consciente de son succès, elle se tient près de son capitaine.

Minuit. Elle est seule sur le sentier de pierres qui mène au rivage ; elle avance au milieu des myriades de crépitations, de murmures sibyllins, de sons et de vibrations qui peuplent la nuit. Parfums, épices, odeurs de miel, pluies d'étoiles se déversent sur elle comme d'une gigantesque corne d'abondance invisible ; un doux bruissement de lucioles entoure sa tête. Quelque chose la frôle, renifle, passe avec un bruit de griffes. Bobby rentre après une escapade nocturne : « *Déambulant sur le rivage...* »

Aucune lumière n'éclaire le lieu de sa destination. Oui ! — Soudain une lueur dans le cep marin. Elle court.

Johnny se tient sous l'arbre, adossé au tronc. Le reflet des feuilles projette des ronds sur tout son corps, de sorte qu'il semble à demi dématérialisé en ombre et lumière. Une cape lui couvre les épaules, la mante bleue de Mrs Jardine. Quand elle le rejoint, le souffle coupé et incrédule, il l'ouvre et l'enveloppe autour de leurs deux corps. La brise est fraîche.

— Ponctuelle, murmure-t-il.

— Je croyais que je ne pourrais jamais m'en aller. Soudain tout a marché comme par enchantement.

— Maintenant, nous devons nous dire adieu, dit-il doucement. Bon voyage, garde-toi. Sois sage. Ecris-moi.

Son ton est réaliste.

— Bien sûr. Je ne suis pas sûre de connaître ton nom.

— Gourlay. John David Gourlay.

— C'est un joli nom.

Il se met à rire.

— Je suis content qu'il te plaise. Ce sera le tien un jour.

Elle retient son souffle :

— Oh !... je ne puis le croire. Et mon nom à moi, mon adresse ? Tu ne veux pas que je te les donne ?

— Oui, mais tu n'as pas d'adresse, n'est-ce pas ?

Elle le regarde déconcertée. Il rit encore.

— Pas une adresse permanente... du moins tu me l'as dit.

— Moi ? Il est vrai que je ne sais pas bien où... j'ai loué ma maison et... j'irai sûrement chez ma mère... quelque temps ; et ensuite... je ne sais pas exactement...

— Je ne voudrais pas que d'importants documents adressés à Anonyma s'égarent. Ecris-moi, je te répondrai. Je pourrai même t'envoyer un télégramme.

La tête lui tourne. Elle resserre son étreinte.

— Johnny, je ne rêve pas, n'est-ce pas ?

Il secoue la tête, pousse un profond soupir et dit d'un ton bizarre :

— C'est la grande passion.

— A propos du bébé, je pense que, d'ici un mois, je serai fixée. Tu veux que je t'avertisse tout de suite ?

— Naturellement.

— Suppose... suppose que je me trompe ? Alors quoi ?

— Oh ! tu m'as dit que tu en étais sûre, s'exclama-t-il d'un air de reproche feint. La question est de savoir si je peux te faire confiance. Comment puis-je être certain ? Tu pourrais essayer de le faire encaisser à... un autre. (Il l'écarte de lui et la secoue.) Jure.

— Je jure.

Leurs yeux se rencontrent dans un regard profond qui voit, bien au-delà des yeux, la nature essentielle. Mais son regard à lui est sûrement sceptique. Et que peut bien exprimer celui d'Anonyma ?

— Comment peux-tu imaginer une chose pareille ? Comment le peux-tu ?

— Si tu faisais cela, je te tuerais, dit-il simplement.

Et il la reprend contre lui.

— Et moi, comment puis-je être sûre ? Tu me promets de venir ?

— Je te le promets.

— Quand ?

— Oh !... d'ici peu. Dès que je le pourrai. Il faut que mon état s'améliore encore un peu. Que je sois complètement remis.

— Mon chéri, n'attends pas d'être complètement remis. Je ferai en sorte que tu te rétablisses quand tu viendras.

— Oui, dit-il d'un air vague. — Et il ajoute sur un ton de sérénité feinte : — Je suis un homme marié, tu sais. Il faut que j'obtienne le divorce — ou qu'elle le demande. Tu dois être protégée.

— Protégée ?

— Naturellement. Je ne veux pas te voir *affichée* publiquement.

— Je m'en moque.

— Moi, je ne m'en moque pas, dit-il avec une gravité sincère.

Comme de telles paroles, de tels principes paraissent étranges cette nuit, sur un rivage antillais.

— Protégée, *affichée*... des mots chers à Sibyl. (Elle touche le col de sa cape.) Son manteau.

— Oui, c'est ainsi, dit-il comme s'il écartait une question superflue. Ecoute, je veux que tu emportes ceci.

Il tire de la poche de son pantalon le médaillon en or qu'il porte souvent, un boîtier rond, finement ciselé avec un diamant serti au centre.

— Baisse la tête, ajouta-t-il en lui passant délicatement autour du cou la chaîne victorienne en or qui le retient. Ne prends pas cet air indécis. Il appartenait à ma mère et, avant elle, à ma grand-mère. Je devais le donner à la jeune fille que j'épouserais. Je l'ai porté pendant toute la guerre comme un fétiche. Puis est arrivé l'accident et tu sais ce qui s'est passé. Alors, je ne l'ai pas donné à la jeune fille dont je t'ai parlé bien que j'aie eu cette intention. La dernière fois qu'elle est venue me voir lorsque je lui ai dit... je lui ai dit qu'une franche rupture était la meilleure solution, je lui ai offert ce petit bijou de famille, mais elle n'a pas voulu le prendre et elle a eu raison. Cependant, nous avons conclu une sorte de pacte. S'il m'arrivait quelque chose, si jamais je me mettais à revivre ou si je disparaissais, je devais le lui faire savoir d'une façon ou d'une autre. Il s'ouvre ici... mais ne l'ouvre pas. Il y a un petit rouleau de papier à l'intérieur avec son nom et son adresse. Tu n'as pas à t'inquiéter : ce n'est qu'une adresse, aucun message ni rien de ce genre. Conserve-le tout simplement et oublie-le jusqu'à ce que je vienne te rejoindre.

— Et quand tu seras venu me rejoindre ?

— Oh ! quand je serai venu te rejoindre (les mots

chantent comme une ballade avec une note triste), je m'occuperai de tout. Simplement, je ne veux prendre aucun risque, je ne veux rien laisser en suspens entre l'heure présente et le jour de mon départ. Je suppose que je suis superstitieux.

— Je pense que je ne le porterai pas souvent avant ton arrivée, mais j'en prendrai le plus grand soin.

— Il est à toi.

— Il est précieux. (Elle le tient un moment dans ses mains et le porte à ses lèvres.) Voici ma bague, prends-la en échange ; c'est mon bijou de famille à moi, la topaze rose de ma grand-mère.

Elle la retire et la lui donne mais elle est trop petite pour son petit doigt et il la lui rend en disant :

— Non, non, attendons pour échanger des anneaux. Les choses ont l'habitude de disparaître par ici.

— Que vas-tu faire de Louis ?

— Ah ! Louis... Il faut que je réfléchisse. Pourquoi ne viendrait-il pas aussi ?

— Pourquoi pas ? *Johnny !* (Est-ce le cœur de Johnny ou le sien qui bat si précipitamment ?) Dis que cet espoir se réalisera, que nous serons réunis pour le reste de nos jours.

— Pour le reste de nos jours ? répéta-t-il sur un ton presque interrogateur. Nous ne pouvons qu'essayer, ajouta-t-il après un silence.

Etranges paroles ; on dirait qu'il se trouve devant un problème déconcertant, une sorte d'opération grave dont le résultat est incertain. Cependant, son visage reste serein comme si, sur un autre plan, la solution était apparente.

— Rappelle-toi que si ce projet te semble trop difficile à réaliser, je ne me sentirais pas abandonnée. Il n'y aurait rien de changé. Tu seras toujours mon amour. Tu as transformé ma vie.

— Et toi, la mienne.

— Si je ne pars pas maintenant, je ne partirai jamais.

Il rejette sa tête en arrière de sorte que la lumière éclaire entièrement son visage. Son sourire l'éblouit.

— Tu te rappelleras mon vrai nom, n'est-ce pas ?

Il hausse un sourcil, fait un signe affirmatif et murmure d'un ton taquin en détachant chaque syllabe :

— A-no-ny-ma.

Elle s'éloigne en se disant : je ne me retournerai pas. Je ne dois pas regarder en arrière mais, bientôt, ses pieds cessent d'avancer dans le sable. Elle se retourne. Il est toujours sous l'arbre. Il n'a pas bougé. A présent, son regard se porte au loin, vers l'infini. Une distance qui va au-delà de celle de l'espace semble la séparer de lui. La question de la lentille télescopique déconcertante du temps se pose de nouveau. Avec cette cape rejetée en arrière, sa tête romantique inclinée, les ombres des grappes du cep marin retombant comme des boucles sombres sur ses épaules, son torse couvert de ronds lumineux et ses jambes étrangement longues, légèrement croisées, il est devenu une image archétypale de la Renaissance : Portrait d'un jeune homme inconnu dans un berceau de feuilles.

Peu après l'aube, vient l'heure de son départ, trop tôt, grâce au ciel, pour une réunion d'adieux spectaculaire. Pendant qu'elle boit son café, Princesse, portant son bébé Nonnommée, Carlotta, Adelina, Winkliff et Déshabillé entrent avec une magnifique guirlande de jasmins et d'hibiscus. Ils la lui passent autour du cou. Elle les serre dans ses bras et leur distribue de généreux pourboires. Tous sont en larmes sauf

Nonnommée qui, placée dans les bras de sa marraine pour recevoir sa bénédiction officielle, accepte passivement un baiser. Elle est dodue comme une caille avec une peau couleur de mûre sauvage, absolument délicieuse, vêtue — pour impressionner — de couches de flanelle à fleurs roses et bleues, avec des boucles d'oreilles en corail rouge et un collier de perles noires et écarlates comme des coccinelles. Elle se blottit avec satisfaction et plonge immédiatement pour chercher le sein de la visiteuse : heureux présage noté avec approbation par Princesse et son cortège.

— Elle ne veut pas vous quitter, murmure sa mère avec une dernière lueur d'espoir.

La visiteuse plante une tige de jasmin derrière la mignonne petite oreille et rend l'enfant avec un pincement de regret. Elle promet de ne pas oublier d'envoyer un bracelet. Après avoir empoché leur pourboire, les garçons se mettent au garde-à-vous. Ils ont appris le salut scout et l'exécutent solennellement en silence.

Miss Stay apparaît et les congédie. Directrice et visiteuse restent seules ensemble comme elles l'avaient été dans cette même pièce, dans une autre tranche de vie, trois semaines auparavant.

— Quel spectacle pour des vieux yeux fatigués ! s'exclame-t-elle. Un véritable régal. Finis les yeux larmoyants... effacés les sillons creusés par le chagrin.

Elle touche légèrement le front de la visiteuse entre les yeux, le masse doucement au-dessus des sourcils, sur les tempes et poursuit :

— Avoir l'air aussi soucieux à votre âge, une vraie pitié. Votre chère maman sera contente de voir sa fille en aussi excellente santé.

— Je le suppose. (C'est plutôt un regard méfiant qui se posera sur moi, pense la fille de sa mère.) Vous avez tous été si bons pour moi, surtout vous, Miss Stay chérie. Je ne sais comment vous remercier. Je ne crois pas que je serais en vie actuellement si je n'avais pas atterri ici.

— Ah ! c'était écrit, il n'y a aucun doute. Mais ce qu'elle pourra dire devant cette splendide couronne me dépasse, continue Miss Stay poursuivant une image maternelle née de son imagination. Qu'a donc dit le poète ? *Qu'est-il advenu de tout l'or ?* — en parlant, si je m'en souviens bien, de ses bien-aimées disparues.

— Mes cheveux ? Ne sont-ils pas affreux ? Tant pis. J'ai votre recette de shampooing aux œufs et au rhum. Ils reprendront vite leur éclat. J'espère qu'il y aura un coiffeur de premier ordre sur notre paquebot de superluxe.

— Pur auburn avec des reflets châtain, marmonne Miss Stay. Une combinaison très originale. Mon Dieu ! Pour ceux qui ont... (à présent, des profondeurs de ses pupilles sombres au pouvoir hypnotiseur, elle regarde fixement la visiteuse.) Ce fut une grande joie pour nous de vous avoir parmi nous, Miss Anémone. Cet établissement est un peu rudimentaire, je vous l'accorde, mais j'ose croire que nous apportons *quelque chose*. Peut-être une atmosphère saine. Et les filles sont charmantes — bonnes et méchantes, toutes sont charmantes. Ellie va vous regretter amèrement, Miss Anémone. Une amie fidèle, voilà ce qui lui manque.

— Je la regretterai aussi. J'ai promis de rester en contact avec elle mais elle ne manquera pas d'amie fidèle tant qu'elle vous aura.

— Oh ! elle a sa vieille Staycie, ne craignez rien. Mais Staycie pourrait partir d'ici peu.

— Partir ? Oh ! mon Dieu, quel coup pour elle et pour Harold et — elle ne peut prononcer le nom de Johnny et ajoute gauchement — et pour Mr Bartholomew. Que ferait-il sans vous ?

— Ah ! ne vous inquiétez pas. J'attendrai pour l'aider à passer... d'un moment à l'autre maintenant, d'un moment à l'autre.

— Vous voulez dire qu'il n'y en a plus pour long-temps ?

— Oui, c'est ce que je veux dire. Le cours de sa vie est presque achevé. De temps en temps, il a une crise de dépression. Alors, je lui dis que sa contribution n'est pas à dédaigner ; il a fourni sa contribution. Sensible comme vous l'êtes, ma chérie, vous comprendrez ce que j'entends par là.

— Eh bien !... il produit certainement un impact puissant.

— Avec ma longue expérience de directrice d'hôtel derrière moi, je déplore les inconvénients que sa présence entraîne, mais il y a là de l'amour parmi les cendres. C'est à cela qu'il faut se raccrocher.

— Vous voulez parler de son sentiment pour Daisy ?

— Je savais que vous saisiriez ma pensée. Je vous accorde que, dans ce cas, l'amour tourne à la folie mais qui sommes-nous pour juger ? C'est un commencement. Mieux vaut avoir aimé... euh !... que de n'avoir jamais aimé du tout. Tempéré par la sagesse, il sera en bonne position la prochaine fois qu'il reviendra ici-bas. Je le vois occuper un rang très élevé dans le milieu des haras ; ou bien peut-être sera-t-il un grand bienfaiteur des pauvres animaux maltraités, surmenés, patients, exploités, au soir de leur vie. Souvenez-vous de lui dans vos prières, ma chérie. Il en a besoin.

— Je ne prie pas. Je crains bien de ne pas savoir. Peut-être apprendrai-je un jour.

— Vous apprendrez sûrement.

— Je ferai n'importe quoi pour vous, Miss Stay.

Miss Stay abandonne subitement ses contorsions faciales et verbales et dit calmement :

— Vous pensez vraiment ce que vous dites ?

— Oui, vraiment.

— Alors, occupez-vous de mon agneau si l'occasion s'en présente, dit-elle en désignant le bungalow. Si jamais elle va en Angleterre, vos chemins peuvent se croiser de nouveau. Si elle se trouvait en difficulté, vous pourriez l'aider.

— Bien sûr que je lui viendrai en aide si je le peux mais j'espère... vous semblez si... j'espère qu'elle n'aura besoin de personne. Comment va le capitaine ce matin ?

— Il n'a pas bougé quand je suis sortie. Ellie non plus. Oh ! le capitaine n'est pas près de casser sa pipe. Il est solide comme un bœuf et viril par-dessus le marché.

— Ils sont adorables. Ils ont été si bons pour moi tous les deux. Tout le monde a été tellement gentil.

— En vérité, vous êtes un parfait petit catalyseur, je le répète.

— Je me demande ce que vous voulez dire. Que je provoque des changements chez les gens ? — dans leur vie ? Comment le puis-je ? Qu'est-ce que je fais pour cela ?

— Oh ! pas en vous mêlant des affaires d'autrui — pas par des artifices et des ruses, bien au contraire. Parfois, il faut une innocente Miss Anémone pour jouer le rôle de catalyseur. J'imagine que c'est écrit dans votre destin. C'est là qu'est le mystère.

En récapitulant rapidement l'histoire trouble et confuse de sa vie, la visiteuse pense avec consternation que ce jugement pourrait bien contenir une vérité.

— Une étrangère apportant des changements... voilà ce qui est apparu, dit Miss Stay d'un ton songeur. Et c'est ce qui s'est passé, ajoute-t-elle avec un accent de triomphe. Vous êtes bien d'accord ?

— Certainement, ma vie a changé, admet-elle en rougissant.

— Ses voies sont mystérieuses, reconnaît Miss Stay. Un abîme appelle un autre abîme.

— Vous avez dit qu'il y aurait un miracle, murmure l'autre qui se sent rougir irrésistiblement. Je me demande si vous voulez parler de... de ce qui s'est passé. Vous savez ce qui s'est passé, n'est-ce pas ? (Miss Stay se tait.) Pensez-vous qu'il sera... comme vous l'espériez... sauvé ? Ce qu'il dit ne pas vouloir être, conclut-elle gauchement.

A présent, Miss Stay semble revenir d'un voyage lointain. Après un silence lourd de sens, elle soupire puis murmure :

— Oui, oui. Tout est bien.

Que veut-elle dire ? Superstitieusement, la visiteuse palpe le médaillon caché sous sa blouse. La tension monte dans la salle à manger vide ; il semble qu'une longue vague d'air descendante soit aspirée.

A ce moment précis, Winkliff apparaît, arrivant de la véranda avec un panier plein de fleurs fraîchement cueillies. Miss Stay le lui prend des mains et commence à confectionner des bouquets qu'elle plonge dans les petits vases de verre victoriens posés sur les tables. Elle est complètement réveillée à présent, vive, volubile, trépidante.

— Ah ! une vraie pitié ! La pauvre chère femme, comme je la plaignais. Elle est entrée en eaux profondes... des eaux très très profondes, elles se sont refermées sur elle. Et toujours depuis... Oh ! de temps en temps, j'ai été tentée de désespérer.

Sa tâche florale terminée, elle se redresse, se balance sur ses talons, la tête rejetée en arrière et ajoute :

— Prenez-nous, vous et moi, ma chère, placez-nous côte à côte, nos anges gardiens eux-mêmes pourraient conclure que l'une de nous ne peut être une femme. Mais j'en suis une. (Elle lève les bras au ciel puis se frappe la poitrine.) J'aime cet homme. Je serais morte pour lui. Maintenant, ce n'est plus la peine. (Elle s'essuie les yeux et pousse de petits éclats de rire — un son jeune et joyeux qui ne peut que déconcerter la visiteuse.) Vous êtes une petite chatte rusée, Miss Némone ! mais le vent souffle où il... (Elle recommence à rire puis hoche la tête avec véhémence.) Qui sait. Peut-être qu'elle y est pour quelque chose. Qui peut le dire ? Cela lui ressemblerait assez, hein ? Va-t-elle l'emporter ? Va-t-elle se laisser aller ? Le détruire, le sauver ? Je crois comprendre qu'elle a toujours été femme à saisir ses occasions sans se soucier...

— Elle était inhumaine, admet la candidate.

— Et à se faire plaisir par-dessus le marché, continue Miss Stay également insouciante. *Vous* avez été son occasion, envoyée du ciel... pour ainsi dire envoyée du ciel.

— Je crois qu'elle me voulait réellement du bien ; elle a toujours eu de l'affection pour moi, proteste la candidate, essayant d'être absolument sincère avec un soupçon de pitié. Et elle a dû l'aimer énormément.

— Sans aucun doute. Ah ! bien. Il est en sécurité maintenant ! Elle ne peut l'emporter. Le monde a de nouveau un goût de miel pour lui — le monde, la chair... hum, hum...

— Nous nous aimons, s'écrie la visiteuse. C'est plus que cela... je l'adore. Elle n'a rien à y voir ni elle ni personne d'autre. Vous devez me croire.

— Je vous crois, dit Miss Stay d'un ton apaisant. Non, non, elle est partie. Heureusement que l'une de nous est sauvée. C'est une chose certaine.

— Vous avez dit un jour... Il m'a confié que vous ne pensiez pas qu'il ferait de vieux os.

— Ai-je dit cela ? Propos de vieille femme, soyez-en sûre. Simples contes à dormir debout. N'y pensez plus.

Une voiture a grimpé la pente raide qui part de la route de la plantation. Elle s'arrête. Kit et Trevor en descendent, le visage frais, des chemises neuves immaculées, l'une rose, l'autre bleu canard, des nœuds papillon, des costumes en chantoung couleur crème.

— Que Dieu vous bénisse, dit Miss Stay. Que Dieu vous garde.

Elles s'embrassent.

— Prenez bien soin de lui, murmure la visiteuse.

Pendant que ses bagages sont chargés, elle court sur la véranda pour jeter un dernier regard, par-delà les terrasses fleuries sur la haie. Plus de bateau. Pas la moindre silhouette qui bouge. Aucun signe de cet oiseau blanc sans cesse tournoyant. Dissous dans la lumière, la cabane et l'arbre pétrifié ont disparu.

Achevé d'imprimer
le 4 janvier 1978
sur les presses
de l'imprimerie Cino del Duca,
18, rue de Folin, à Biarritz.
N° 786.

N° d'éditeur : 10 375   Dépôt légal : 1er trimestre 1978.